O código da afinidade

O código da afinidade

Entenda a ordem
de nascimento e viva melhor
com a pessoa que você ama

CLIFF ISAACSON e MEG SCHNEIDER

TRADUÇÃO: DÓRIS FLEURY

Editora Gente

Editora
Rosely M. Boschini

Assistente editorial
Rosângela Barbosa

Produção gráfica
Marcelo Almeida

Capa
Syncromkt

Projeto gráfico
Neide Siqueira

Diagramação e fotolito
Join Bureau

Preparação
Cristina Lourenço

Revisão
Cristina Paixão Lopes

Título original: *The birth order effect for couples*

Publicado originalmente nos Estados Unidos em 2004 por Fair Winds Press

Rua Pedro Soares de Almeida, 114
São Paulo, SP CEP 05029-030
Tel.: (011) 3670-2500
Site: www.editoragente.com.br
E-mail: gente@editoragente.com.br

Dados Internacionais de Catalogação na Publicação (CIP)
(Câmara Brasileira do Livro, SP, Brasil)

Isaacson, Cliff, 1934-
O código da afinidade : entenda a ordem de nascimento e viva melhor com a pessoa que você ama / Cliff Isaacson e Meg Schneider ; tradução Dóris Fleury. – São Paulo: Editora Gente, 2005.

Título original: The birth order effect for couples.
Bibliografia.
ISBN 85-7312-450-4

1. Homem-mulher – Relacionamento 2. Ordem de nascimento 3. Pais e filhos I. Schneider, Meg. II. Título

05-1809 CDD-306.87

Índice para catálogo sistemático:

1. Ordem de nascimento : Relacionamento intra-familiar : Sociologia 306.87

A nossos esposos, Kathy e Bud.
A recompensa está na jornada.

Sumário

Introdução
O que é a ordem de nascimento? 9

Capítulo um
Qual é seu lugar na ordem de nascimento? 15

Capítulo dois
A ordem de nascimento e os relacionamentos 35

Capítulo três
O filho único 55

Capítulo quatro
O primogênito 81

Capítulo cinco
O segundo filho 101

Capítulo seis
O terceiro filho 127

Capítulo sete
O quarto filho 147

Capítulo oito
A ordem de nascimento e a comunicação 171

Capítulo nove
A ordem de nascimento e a resolução de conflitos 191

Capítulo dez
Como a ordem de nascimento pode trabalhar a seu favor 209

Agradecimentos 231

O que é a ordem de nascimento?

A idéia de ordem de nascimento já se tornou familiar à maioria das pessoas – conceito que foi desenvolvido por Alfred Adler* há quase um século. Em seu livro de 1918, *A Ciência da Natureza Humana*, Adler teorizava que a personalidade da criança é, em grande parte, definida pela sua posição cronológica na família, já que os pais tendem a tratar os filhos de forma diferente, de acordo com a ordem em que nasceram. Ele identificou quatro ordens de nascimento – do filho único, do primogênito, do filho do meio e do caçula – e relacionou traços de personalidade a essas posições cronológicas na família. Por exemplo, na ordem de nascimento, segundo Adler, o filho mais velho é um líder nato, o caçula é mimado, e o filho do meio está sempre lutando para atrair a atenção dos pais.

Li o livro de Adler em 1969, e a idéia de entender os seres humanos através da ordem de nascimento me pareceu promissora. Continuei a pesquisar o assunto, lendo *The Family Constellation* [A constelação familiar], de Walter Toman, e *The Birth Order Factor* [O fator ordem de nascimento], de Lucille Forer. Infelizmente, minhas expectativas de conquistar valiosos *insights*

* Alfred Adler é psiquiatra e psicólogo austríaco. (N.E.)

sobre a natureza humana através da ordem de nascimento não se realizaram. Quanto mais eu estudava o assunto, mais me convencia de que o conceito de ordem de nascimento era muito vago para ser útil.

Foi então que me deparei com um texto de Taibi Kahler, importante estudioso de Análise Transacional, no qual ele descrevia cinco padrões de comportamento. Para mim, ficou evidente que esses padrões de comportamento, ou "miniscripts", na linguagem da Análise Transacional, podiam ser relacionados à ordem do nascimento. Os "miniscripts" são mensagens que determinam nosso comportamento: *Depressa!*; *Me agrade*; *Seja perfeito*; ou *Seja esforçado*. Comparei essas mensagens e as descrições de Kahler com as personalidades de meus cinco filhos, e descobri que cada um deles se encaixava em um dos padrões de comportamento que ele descrevia. Então comecei a perguntar aos meus pacientes a sua posição cronológica na família; e, ao comparar as personalidades de meus clientes com as dos meus filhos, descobri que Kahler tinha identificado um padrão relacionado à ordem de nascimento. Desde então, confirmei o conceito sobre a ordem de nascimento, seu funcionamento, e sobre a forma de lidar com ela em mais de trinta mil sessões de terapia com cerca de seis mil clientes.

No entanto, os conceitos de Adler não são suficientes para descrever a verdadeira complexidade da ordem de nascimento e as características da maioria das pessoas. Alguns de nós, por exemplo, têm irmãos mais velhos ou mais moços, e, mesmo assim, parecem ter a personalidade de filho único. Também há quem não se encaixe em nenhum dos lugares do sistema adleriano de ordem de nascimento. E, ao contrário das teorias de Adler sobre a interação de pais e filhos, notei que muitas das dificuldades de meus pacientes nasciam não de sua relação com os pais, e sim de suas primeiras experiências com irmãos. Descobri que as estratégias de enfrentamento que desenvolvemos na infância para lidar com nossos irmãos são as mesmas que usamos na vida adulta com nossos cônjuges, amigos, filhos e até parceiros de negócios.

As cinco ordens de nascimento que identifiquei são: filho único, primogênito, segundo filho, terceiro filho e quarto filho. Cada uma dessas posições na família apresenta seu próprio conjunto de desafios, e cada personalidade por ordem de nascimento desenvolve uma forma de enfrentá-lo. Nossas personalidades por ordem de nascimento surgem bem cedo, por volta dos dois anos, e, uma vez definidas, ficam conosco pelo resto da vida.

Na maioria dos casos (mas com certeza não em todos), as personalidades por ordem de nascimento correspondem à nossa posição cronológica na família, e se apresentam em seqüência, do filho mais velho ao mais novo. Por exemplo, se o filho mais velho de três é uma personalidade primogênita, o próximo será um segundo filho e o mais novo, um terceiro filho. Se o filho mais velho desenvolve uma personalidade de segundo filho, o próximo será um terceiro e o caçula será um quarto. Até os gêmeos se organizam em personalidades consecutivas pela ordem de nascimento: se o filho mais velho é um primogênito, os gêmeos serão um segundo filho e um terceiro filho.

A próxima criança depois do segundo filho, mesmo que tenha uma diferença de idade de catorze anos com ele, sempre será um terceiro filho. O irmão que nasce dez anos depois do terceiro ainda pode ser um quarto filho. O filho depois do quarto terá uma personalidade de filho único.

É possível ter uma família inteira composta apenas de personalidades de filho único. Mais comum é que a ordem de nascimento se repita em famílias grandes. Por exemplo, em uma família de oito irmãos, onde o mais velho é um quarto filho, o quinto também o será. Depois de iniciada, a ordem de nascimento progride dentro da lógica numérica. Nunca encontrei, por exemplo, uma progressão de primogênito, terceiro filho, segundo filho e quarto filho. Portanto, quando a personalidade por ordem de nascimento de um filho é identificada, a de seus irmãos também pode ser. Se o filho do meio de uma família de cinco irmãos é um terceiro filho, seu irmão imediatamente mais velho será um segundo, e o imediatamente mais jovem, um quarto.

Existem exceções na correlação entre posição cronológica na família e personalidade por ordem de nascimento. As pessoas com irmãos mais velhos ou mais jovens podem ter personalidades de filho único – se houver, por exemplo, uma diferença de cinco ou mais anos entre os irmãos; ou se os pais contavam com ajuda quando o filho mais novo nasceu, de forma que o filho mais velho não experimentou a perda de amor dos pais. A criança nascida depois de um quarto filho será um filho único, seja qual for a diferença de idade entre os dois. Mas esse filho único pode se tornar um primogênito quando outra criança nascer.

Um filho que morre pode ou não contar na progressão por ordem de nascimento, dependendo das circunstâncias. Encontrei alguns filhos mais velhos que tinham personalidades de segundo filho por causa do bebê primogênito que havia morrido antes de eles nascerem.

Às vezes, uma mãe estressada pode definir a ordem de nascimento de seu filho mais velho ou mais novo. O estresse faz com que as características da ordem de nascimento se tornem mais pronunciadas, pois essa criança desenvolve sua personalidade para lidar com a mãe, e não com os irmãos. Nessa situação, as filhas desenvolvem a personalidade por ordem de nascimento imediatamente consecutiva à de sua mãe, enquanto os filhos desenvolvem a mesma da mãe. Por exemplo, uma mãe que é segunda filha fará de sua filha uma terceira; e seu garoto será um segundo filho. Mães primogênitas parecem ter pouco impacto na personalidade por ordem de nascimento de seu filho; mães filhas únicas geralmente reforçam características de filho único dos filhos mais velhos.

Em vista dessas exceções, as descrições e testes sobre ordem de nascimento no fim do primeiro capítulo são mais úteis do que a mera cronologia para identificar a personalidade por ordem de nascimento.

Graças a meus pacientes – que me fornecem informação sempre que necessito, me corrigem quando estou errado e aprovam meus julgamentos quando estou certo – aprendo cada vez mais sobre a ordem de nascimento. Espero que vocês aproveitem essa jornada de descoberta tanto quanto eu.

Qual é seu lugar na ordem de nascimento?

William e Kelly tiveram um namoro de conto de fadas. Uma noite, eles se encontraram por acaso em um bar e começaram a conversar. A atração foi instantânea e natural. Sentiam que eram almas gêmeas, com gostos, aversões, opiniões e interesses parecidos. Ficaram tão à vontade um com o outro que foram morar juntos em três semanas, bem no estilo "felizes para sempre".

Kelly tinha alguns problemas pendentes; deixara seu marido três meses antes de encontrar William e estava formalizando o divórcio. Mesmo assim, os dois não tinham a menor dúvida de que deviam ficar juntos para sempre. Caíram facilmente em uma rotina de trabalho, tarefas domésticas e, de vez em quando, uma ida ao bar ou à boate. Dois anos mais tarde, o divórcio de Kelly saiu, e ela e William se casaram. Um ano depois, tiveram um bebê, e sua rotina diária concentrou-se exclusivamente no trabalho e tarefas domésticas. As saídas noturnas acabaram. Eles se tornaram mais caseiros, agora que eram pais.

Então, um dia, quatro anos depois de seu primeiro encontro, e dois após o casamento, Kelly pediu o divórcio.

Essa história lhe parece familiar? Deve parecer. Segundo um estudo dos Centros para Controle e Prevenção de Doenças*, um em cada cinco casamentos termina em divórcio nos primeiros cinco anos. Depois de dez anos, essa cifra aumenta para um a cada três. O mesmo estudo mostrou que as taxas de divórcio e separação são maiores nos segundos casamentos que nos primeiros. Vinte e três por cento desses casamentos terminam em cinco anos. Quase dois em cada cinco acabam em dez anos.

Essas são as más notícias. A boa notícia é que, pela primeira vez, existe uma ferramenta para entender por que um casal entra em conflito, quais as raízes desse conflito e, mais importante ainda, como resolvê-lo. Essa nova ferramenta é o conhecimento do efeito da ordem de nascimento. Depois que você entender a ordem de nascimento e como ela influencia seu relacionamento, seus problemas dentro dele diminuirão significativamente, e suas chances de concretizar o "felizes para sempre" devem aumentar na mesma proporção.

Mas como a compreensão da ordem de nascimento pode auxiliá-lo?

Ela o ajudará a eliminar o caos em seu relacionamento. À medida que você passar a se entender e entender seu cônjuge, sua frustração dará lugar a *insights*. Você descobrirá como sua relação funciona.

A satisfação com seu relacionamento aumentará de uma maneira que você jamais imaginou. Você não precisará mais ficar pisando em ovos com medo de ofender seu companheiro. O amor será um sentimento vivenciado e não um objetivo a ser

---

* Em inglês, Centers for Disease Control and Prevention (CDC), órgãos de saúde do governo americano famosos por seus estudos epidemiológicos. (N.T.)

atingido. Você descobrirá o que dizer a seu companheiro, como entendê-lo e como agradá-lo.

Essa ferramenta vai esclarecer os detalhes do seu relacionamento de forma que ele faça sentido para você. Os sentimentos envolvidos nessa relação se tornarão compreensíveis; e você descobrirá que seu parceiro se importa, sim, com o que você sente. Conseguirá entender a diferença entre comunicação positiva e comunicação negativa, e um mundo de sentimentos inteiramente novos se abrirá para você.

Seu relacionamento se tornará mais seguro, confortável e prazeroso. Se você tem carregado sozinho o fardo do relacionamento, a compreensão do efeito da ordem de nascimento tornará esse peso mais leve e equilibrado. Você descobrirá que seu parceiro, assim como você, quer que a relação dê certo. Seu medo constante será substituído pela confiança em si mesmo e em seu cônjuge.

A compreensão do efeito da ordem de nascimento transformará os problemas de sua relação em desafios. Possibilitará que seu parceiro o entenda. Você poderá ser você mesmo e sentir que faz parte de um relacionamento em vez de agarrar-se a ele por medo de perdê-lo. Poderá se concentrar em objetivos positivos e desfrutar seu cônjuge e seu casamento.

A compreensão do efeito da ordem de nascimento nos permite entender nosso comportamento e o de nossos parceiros. Pense na personalidade como uma caixa – um recipiente para seus sentimentos, atitudes, comportamentos, percepções, estratégias de ajuste e expectativas. A ordem de nascimento nos permite entender o que está em nossa caixa e por quê. Com essas informações, você pode identificar o que gostaria de mudar e fazer a mudança sem sentir vergonha, culpa, inadequação, depressão ou raiva.

Outro dado importante: a ordem de nascimento permite que você entenda seu parceiro. Você poderá reconhecer o senso de humor dele e identificar a origem de seu ciúme. Entenderá como ele expressa seu amor e por que parece incapaz de relaxar e aproveitar o relacionamento. Não o verá mais como alguém que é propositalmente irritante, obstinado ou desagradável. Poderá olhar dentro de sua "caixa" de ordem de nascimento e identificar o que e por que está lá. A comunicação e a compreensão aumentarão; a irritação e o conflito diminuirão. Finalmente você conseguirá desfrutar seu parceiro, seu casamento e sua vida.

Os primeiros desafios

Existem cinco personalidades por ordem de nascimento: filho único, primogênito, segundo filho, terceiro filho e quarto filho. Quando examinamos a situação que cada tipo de criança teve de enfrentar na família, é fácil entender por que essas cinco personalidades se desenvolvem de formas diferentes, e como elas evoluem em nossa vida adulta.

O filho único não tem irmãos para lhe fazer companhia ou desviar a atenção dos pais. Ele aprende a brincar sozinho sem sentir solidão, e a lidar com a intrusão dos pais. Para enfrentar o primeiro desafio, o filho único desenvolve imaginação fértil, inventando amigos imaginários ou emprestando aos brinquedos e animais domésticos qualidades humanas, que compensem a falta de companhia. Ao projetar seus próprios pensamentos e sentimentos em brinquedos, animais e amigos imaginários, o filho único pode organizar e prever ações e reações no seu pequeno mundo.

Infelizmente, os pais não são tão previsíveis. Os pais atrapalham a brincadeira do filho único. Não há irmãos nem irmãs para dividir a ribalta, e por isso ele freqüentemente se sente sufocado pelos pais. Como resultado da intromissão dos pais, o filho único desenvolve duas velocidades. As coisas divertidas são feitas depressa; assim os pais não terão chance de interferir. As tarefas chatas são feitas bem devagar, e assim os pais se oferecerão para ajudar. E quando as coisas não correm conforme o planejado, o filho único se frustra.

São características do filho único:

- Acordar todo dia com um plano ou uma agenda;
- Falar em termos de tempo e agenda: ("Está na hora de..." etc.);
- Ansiar por tempo a sós;
- Frustrar-se quando os planos ou a programação precisam ser mudados, ou quando é interrompido;
- Fazer listas de tarefas e riscar os itens atingidos, em vez de marcá-los com um sinal;
- Preocupar-se por tudo e por nada;
- Expressar raiva em explosões súbitas ou chiliques.

Os primogênitos têm um conjunto diferente de desafios. Lá estavam eles, no centro das atenções, quando chegou um bebê, lhes roubando toda a afeição dos pais. Do ponto de vista do primogênito, parece que os pais transferiram todo o seu amor para o segundo filho. Portanto, o primogênito tem de enfrentar o que vê como um mundo sem amor. O único momento em que eles conseguem a atenção dos pais é quando ajudam com o bebê ou com as tarefas domésticas; aí, o primogênito consegue pelo menos um tapinha nas costas: "Bom trabalho!"

Essa experiência ensina aos primogênitos que o melhor que eles podem esperar dos outros é aprovação. Eles evitarão cuidadosamente qualquer ato que possa inspirar desaprovação. Os primogênitos dirão "Não sei" ou "O que você acha?" só para evitar a expressão de pensamentos e preferências que possam ofender outras pessoas.

São características do primogênito:

- Preocupar-se em não ofender os outros;
- Sentir compulsão para concordar com os outros ou fazer com que os outros concordem com ele;
- Desejar impressionar os outros;
- Ter necessidade de saber o que os outros pensam;
- Focar em seus objetivos;
- Sonhar de olhos abertos com futuras realizações, mas adiar as tarefas atuais;
- Sentir que não vai conseguir o que quer.

Os segundos filhos têm de aprender a lidar com um irmão mais velho que compete com sucesso pela atenção dos pais. O primogênito é mais velho e freqüentemente supera as realizações do segundo filho, o que o faz se sentir dolorosamente inadequado. Para compensar esse sentimento, o segundo filho persegue incansavelmente a perfeição; em seu mundo, não existe amor para quem não é perfeito. Ele até reconhece que é impossível ser perfeito em todas as áreas. Por isso, costuma escolher uma área e dedicar energia inesgotável ao papel de melhor aluno, melhor atleta, melhor pianista ou melhor escritor. O segundo filho presta atenção aos detalhes, procura falhas em tudo, e tende a achar defeitos em coisas e pessoas. Para eles, a crítica construtiva é bem-vinda, pois os ajuda em sua jornada rumo à perfeição. E, já que esse impulso é tão forte nos segundos filhos, eles imaginam que todo mundo é perfeccionista como eles, e brindam os outros com críticas que ninguém pediu. Para os segundos filhos, nada é de fato bom o suficiente.

São características do segundo filho:

- Achar que os outros não se importam com o que ele sente;
- Ter dificuldade em fazer ou aceitar elogios;
- Negar seus sentimentos através da lógica;
- Ser incapaz de avaliar os sentimentos alheios;
- Ter alta sensibilidade à raiva e à tensão;
- Avaliar palavras e ações alheias;
- Ter o hábito de seguir regras.

O terceiro filho tem de aprender a se desviar do sentimento de inadequação do segundo, que esse tenta passar ao irmão mais novo. O segundo filho pode ridicularizar e desvalorizar o terceiro, fazendo-o sentir-se vulnerável. Para lidar com esse sentimento de vulnerabilidade, o terceiro filho desenvolve uma fachada estóica, mostrando ao mundo que nada nem ninguém pode incomodá-lo. Terceiros cujo irmão imediatamente mais velho é do mesmo sexo tornam-se destemidos e estão sempre fazendo coisas para provar que não têm medo de nada. Terceiros cujo irmão imediatamente mais velho é do sexo oposto tornam-se receosos, e procuram evitar coisas que os façam sentir-se vulneráveis ou com medo.

São características do terceiro filho:

- Sentir empatia pelos desfavorecidos;
- Sentir-se contente quando os outros estão contentes;
- Viver ocupado para evitar o tédio;
- Sentir-se ofendido quando os outros não escutam suas idéias;

- Fazer comparações mentais;
- Ser espontâneo – mudar de planos de uma hora para outra;
- Ter muitos conhecidos, mas apenas um ou dois amigos íntimos.

O terceiro filho tenta passar o sentimento de inadequação para o quarto filho, dizendo ao irmão menor que ele é muito pequeno, fraco, indefeso, ignorante ou incapaz de brincar com as crianças maiores. Como resultado, o quarto filho luta com uma persistente sensação de imaturidade e de não ser desejado. Se o quarto filho não conseguir superar essa sensação, tenderá a se afastar dos outros. Se, em vez disso, compensar sua desvantagem com um sentimento de exagerada maturidade, cuidará dos outros para ser aceito.

São características do quarto filho:

- Sentir que a vida deve ser dura;
- Sentir-se deixado de lado;
- Analisar as coisas de todos os ângulos;
- Desconfiar quando outras pessoas são bondosas com ele;
- Obrigar-se a controlar suas emoções;
- Preferir o trabalho duro;
- Retrair-se dentro de grupos grandes.

Um dado interessante é que essas personalidades por ordem de nascimento são distintas e separadas; elas não se misturam. Embora possamos exibir traços de mais de uma delas, esses traços são secundários e podem aparecer e desaparecer quase que ao nosso bel-prazer. Os traços de personalidade por ordem de nascimento podem variar em intensidade, mas conservam sua consistência por toda a vida, independentemente da fase em que estamos.

Qual é sua ordem de nascimento?

Agora que você sabe um pouco sobre cada uma das personalidades por ordem de nascimento, já pode reconhecer comportamentos semelhantes em amigos ou membros da família. Mas talvez seja mais complicado decidir qual é sua personalidade por ordem de nascimento. A maioria de nós exibe traços de mais de uma dessas personalidades, e às vezes é difícil julgar qual é a dominante. À medida que você se familiariza com cada uma delas, o reconhecimento das suas características torna-se mais fácil.

Elaboramos três questionários diferentes para ajudá-lo a determinar a sua personalidade por ordem de nascimento. Dois são relativamente curtos e foram feitos para lhe dar uma rápida indicação da sua personalidade por ordem de nascimento – aquela que foi definida quando você tinha de dois a cinco anos, e que ainda lhe fornece mecanismos de enfrentamento em situações de estresse.

Mas nós também temos personalidades secundárias por ordem de nascimento. Essas correspondem ao nosso comportamento quando tudo está correndo bem. Por essa razão, o terceiro questionário foi feito para detectar tanto a sua personalidade primária quanto a secundária, de acordo com a ordem de nascimento.

Lembre-se de que sua personalidade por ordem de nascimento pode ou não corresponder à sua posição cronológica dentro da família.

Que tipo de perfeccionista você é?

Alfred Adler, o primeiro a conceber a idéia de que a ordem de nascimento se relaciona ao desenvolvimento da personalidade, achava que todo mundo – filhos únicos, mais velhos, do meio ou caçulas – aspirava à perfeição. A verdade é que "perfeição" significa algo diferente para cada personalidade por ordem de nascimento. Este rápido questionário o ajudará a descobrir que tipo de perfeccionista você é – e, portanto, que personalidade por ordem de nascimento você tem. Seja o mais honesto possível e escolha a alternativa em que melhor se encaixa.

1. Para você, se o mundo fosse perfeito, qual das alternativas seria verdadeira?
   a) Os outros o ajudariam com as tarefas que você acha desagradáveis, mas o deixariam sozinho na hora de fazer as coisas de que você gosta.
   b) Os outros o admirariam, respeitariam suas opiniões e concordariam com suas decisões.
   c) Todo mundo seguiria as mesmas regras, e os outros ofereceriam sugestões para melhorar as coisas.
   d) Os outros pediriam ajuda a você, e ficariam encantados com seus esforços para auxiliá-los.
   e) Os outros o convidariam para juntar-se a eles nas atividades, e reconheceriam que você trabalha duro.

2. O que mais lhe agrada quando você precisa completar um projeto, em casa ou no escritório?
   a) É algo que você pode fazer sozinho.
   b) Os outros ficarão impressionados com a qualidade do seu trabalho.
   c) Existem instruções bem claras, passo a passo, para você seguir.
   d) Os outros ficarão contentes quando você terminar.
   e) Não vai ser fácil.

3. Quando você está trabalhando em um projeto no escritório, o que acha mais irritante?

   a) Seu chefe o interrompe o tempo todo ou dá sugestões sobre como proceder.
   b) Seu chefe não parece impressionado.
   c) Seu chefe não lhe dá retorno.
   d) Seu chefe não parece contente com seu trabalho.
   e) Seu chefe não se dá conta do tempo e do trabalho investidos no projeto.

4. Quando você terminou um grande projeto, o que o deixa mais realizado?

   a) Foi você mesmo quem fez.
   b) Os outros ficam impressionados com seu trabalho.
   c) Os outros fazem sugestões para melhorar o produto final.
   d) Os outros estão felizes com o resultado.
   e) Você superou as dificuldades trabalhando duro.

5. Quando alguém lhe diz que algo que você fez está "perfeito", qual é a frase que melhor descreve sua reação?

   a) Eu fiz isso bem.
   b) Ganhei a admiração alheia.
   c) Acho que poderia ter feito melhor.
   d) Fiz outras pessoas felizes.
   e) Trabalhei duro, mas valeu a pena.

RESULTADOS:

• Se você respondeu *a* em três ou mais perguntas, a sua personalidade por ordem de nascimento é de filho único. Você pode ser único mesmo se tiver um ou mais irmãos, especialmente se houve uma grande diferença de idade entre você e seus irmãos mais velhos ou mais novos. O filho único é aquele que tem um chilique quando alguém arruma as coisas na sua mesa. Ele valoriza a ordem, não gosta que ninguém se intrometa e se sente pressionado quando alguém dá sugestões. Na maior parte das vezes, o filho único prefere trabalhar sozinho; trabalhar com outras pessoas significa a possibilidade de arruinar a ordem, e aumenta a pressão. Para o filho único, a "perfeição" é atingida quando alguém de fora julga que ele fez algo bem.

• Se você respondeu *b* a três ou mais perguntas, você é uma personalidade primogênita. O primogênito perdeu a atenção dos pais quando seu irmãozinho chegou, e enfrentou essa perda tornando-se um pequeno "ajudante" para ganhar elogios e afeição dos pais. Já adultos, os primogênitos continuam confundindo admiração e respeito com amor; então procuram formas de impressionar outras pessoas com seus dotes e qualidades. No trabalho, o primogênito procura admiração e aprovação; em casa, quer respeito. Discordar do primogênito é sinal de desrespeito; "perfeição" significa obter aprovação e elogios, e ser admirado.

• Se você respondeu *c* a três ou mais perguntas, você tem uma personalidade de segundo filho, a única que procura ser perfeita por amor à perfeição. Os segundos filhos cresceram lidando com os primogênitos, que pareciam ser melhores em tudo só por serem mais velhos. Como os segundos nunca conseguem alcançar os primogênitos, escolhem áreas onde podem ser os melhores, e procuram se aperfeiçoar ali. Às vezes eles estabelecem para si mesmos padrões inatingivelmente altos, de forma que "bom" nunca é bom o suficiente. Ao contrário dos únicos, para os segundos as sugestões de melhora são bem-vindas – é mais um jeito de se aproximar da perfeição. Na verdade, um segundo filho fica desapontado quando não recebe crítica construtiva.

• Se você respondeu *d* a três ou mais questões, você é uma personalidade de terceiro filho. Seu objetivo primário é agradar aos outros; o sucesso, para você, é fazer outras pessoas felizes. Para atingir esse fim, o terceiro filho precisa ser forte e capaz de resolver problemas dos outros – habilidades que ele desenvolveu para evitar a perseguição e a crítica do segundo filho. Às vezes, o jeito mais fácil de garantir a felicidade das pessoas é deixá-las desenvolver um projeto sozinhas. Mas, se alguém precisa de ajuda, os terceiros filhos são os primeiros a se oferecerem. Eles só atingem a "perfeição" quando seus esforços agradam a outras pessoas.

• Se você respondeu *e* a três ou mais perguntas, você tem uma personalidade de quarto filho. Quando os irmãos mais velhos iam fazer algo divertido ou interessante, o quarto filho ficava para trás, pois era muito pequeno para fazer seja o que fosse. Até mesmo na vida adulta, os quartos filhos ainda sentem que os outros o acham imaturo; por isso, sempre tentam provar sua maturidade, enfrentando tarefas difíceis. Para o quarto filho, um trabalho fácil nem vale a pena; a *perfeição* é atingida quando eles cumprem tarefas que exigem muito trabalho duro.

O que você sente?

Cada personalidade por ordem de nascimento lida de maneira diferente com as emoções. O teste a seguir mede como você se sente na maior parte do tempo. Responda às perguntas em cada seção com sim ou não; para um resultado mais rigoroso, registre sua primeira reação.

Seção I

1. Você pensa com seus sentimentos?
2. Sente-se pressionado por interrupções?
3. Sente-se sufocado pelos amigos ou pela família?
4. Sente-se obrigado a organizar tudo: tempo, pessoas e coisas?
5. A frustração é a pior coisa que você pode sentir?

Seção II

1. Você fica confuso quando outras pessoas estão falando?
2. Nem sempre se sente adulto?
3. Sente-se obrigado a analisar as palavras e ações dos outros?
4. Hesita em entrar em um grupo, a menos que receba um convite?
5. Sente que sempre terá de trabalhar duro?

Seção III

1. Você sente dificuldade em saber o que está pensando, querendo ou sentindo?
2. Freqüentemente se sente culpado, mesmo sem motivo?
3. Fica aliviado ao terminar uma tarefa?
4. Sente-se obrigado a descobrir o que as outras pessoas pensam?
5. Prefere sonhar com o futuro a se preocupar com o dia de hoje?

Seção IV

1. Você se acha sensível demais?
2. Gosta de prestar atenção a detalhes?
3. Gosta de ser corrigido quando está fazendo algo?
4. Suas emoções o dominam, mesmo quando tenta controlá-las?
5. Expressa sua raiva criticando os outros?

Seção V

1. Você precisa ser forte para se sentir seguro?
2. Sente-se obrigado a sempre comparar as coisas?

3. Sente-se obrigado a ajudar vítimas?
4. Sente-se obrigado a agradar aos outros?
5. Acha estranhas as pessoas que gostam de sentir medo?

Resultados: A seção na qual a maior parte das respostas foi *sim* corresponde à sua ordem de nascimento psicológica. A seção I é a do filho único; a seção II é do quarto filho; a seção III é do primogênito; a seção IV é do segundo filho; e a seção V é do terceiro filho.

Personalidades por ordem de nascimento

O teste a seguir é o mais detalhado teste sobre personalidade. Ele o ajudará a determinar a sua personalidade primária e a secundária por ordem de nascimento. Como a ordem de nascimento é mais evidente durante a infância e nos primeiros anos da vida adulta, a precisão do teste será maior se você responder às questões como teria feito na fase final da adolescência ou com vinte e poucos anos.

Escolha a resposta mais aproximada de cada pergunta. Quando tiver terminado as perguntas, coloque o número correspondente a cada resposta no gabarito do final do inventário, e faça os cálculos para identificar suas personalidades por ordem de nascimento.

1 = quase nunca
2 = às vezes
3 = freqüentemente
4 = quase sempre

1. Você precisa colocar tudo em ordem antes de começar algo?

2. É importante que os outros tenham uma boa opinião de você?
3. É fácil envergonhar você?
4. Seus irmãos foram injustos com você?
5. Gosta de trabalho duro?
6. Faz listas de tarefas?
7. Diz sempre: "Não sei"?
8. Presta atenção especial aos detalhes?
9. Evita coisas que o assustam?
10. É desconfiado com as pessoas?
11. Mantém uma programação em sua cabeça?
12. Tem medo de ofender os outros?
13. Esconde seus sentimentos?
14. Age como se nada o afetasse?
15. Precisa provar sua maturidade?
16. Pensa com seus sentimentos?
17. Sempre tenta imaginar como os outros vão reagir a você?
18. Está sempre procurando defeitos?
19. Sente que precisa ser forte?
20. Sente que os outros não o querem?
21. Sente-se mal quando os outros se sentem mal?
22. As reações dos outros o fazem sentir-se culpado?
23. Diz sempre: "Eu ficaria muito grato se ...."?
24. Identifica-se com vítimas?
25. Detesta que lhe peçam favores?
26. Interrompe os outros quando estão falando?
27. Costuma imaginar como deveria ter agido em determinada situação?
28. Diz sempre "Não é preciso"?
29. Tira conclusões apressadas?

30. Tem medo de cair em armadilhas?
31. Preocupa-se com sua família e amigos?
32. Acha que as pessoas deveriam receber o que merecem?
33. Gosta de fazer críticas construtivas?
34. Gosta de fazer comparações?
35. Sente-se excluído?
36. Gosta de ficar sozinho em casa de vez em quando?
37. Trabalha duro para impressionar os outros?
38. Gosta de se concentrar em uma coisa de cada vez?
39. Detesta que caçoem de você?
40. Fica bravo quando alguém o culpa?
41. Fica frustrado quando é interrompido?
42. É bonzinho demais com as pessoas?
43. Não gosta de prazos?
44. Diz sempre: "Não tem problema!"?
45. Sente que ninguém o entende?
46. Sente-se frustrado com freqüência?
47. Tem dificuldade em expressar afeto?
48. É uma pessoa sensível?
49. Está sempre procurando formas de ajudar os outros?
50. Analisa as coisas de todos os ângulos?
51. Tem medo de parecer mimado?
52. É difícil para você se sentir amado?
53. Você precisa de projetos definidos?
54. Fica bravo quando uma idéia sua é rejeitada?
55. Pensa antes de responder a uma pergunta?
56. Sente-se sufocado?
57. Tem medo de que alguém fique com raiva de você?
58. Evita elogiar as pessoas?
59. Para evitar o tédio, vive ocupado?
60. Sente que ninguém o escuta?

61. Executa primeiro as pequenas tarefas, depois os grandes projetos?
62. É simpático mesmo quando não pretendia?
63. Procura a perfeição?
64. Odeia que o mandem fazer algo, em vez de pedir?
65. Tenta controlar sua raiva?
66. Fica aborrecido quando as pessoas aparecem em sua casa sem avisar?
67. Dá pistas do que deseja?
68. Fica bravo quando o acusam de ser desagradável?
69. Preocupa-se em agradar aos outros?
70. Detesta gente preguiçosa?
71. Sente que a vida é só trabalho e nenhuma diversão?
72. Compromete-se mais do que deveria?
73. Gosta de bancar a pomba da paz?
74. Odeia ser encurralado?
75. Fica bravo quando os outros estão à toa?

RESULTADOS:

Coloque o número correspondente na frente de cada pergunta. Depois, some e obtenha o resultado para cada coluna:

A	B	C	D	E
1___	2___	3___	4___	5___
6___	7___	8___	9___	10___
11___	12___	13___	14___	15___
16___	17___	18___	19___	20___
21___	22___	23___	24___	25___
26___	27___	28___	29___	30___
31___	32___	33___	34___	35___

36___	37___	38___	39___	40___
41___	42___	43___	44___	45___
46___	47___	48___	49___	50___
51___	52___	53___	54___	55___
56___	57___	58___	59___	60___
61___	62___	63___	64___	65___
66___	67___	68___	69___	70___
71___	72___	73___	74___	75___

Total da coluna A (filho único): ____________

Total da coluna B (primogênito): ____________

Total da coluna C (segundo filho): ____________

Total da coluna D (terceiro filho): ____________

Total da coluna E (quarto filho): ____________

A pontuação mais alta indica a sua personalidade primária por ordem de nascimento. As duas logo abaixo indicam suas personalidades secundárias.

Diferentes características ligadas à ordem de nascimento podem entrar em choque, ou complementar uma à outra. Quando elas entram em choque, podem originar muita infelicidade: por exemplo, em casais que não entendem o comportamento de seu companheiro nem as razões por trás dele. No próximo capítulo, examinaremos a forma com que as personalidades por ordem de nascimento costumam interagir, e como melhorar a compatibilidade em seu relacionamento.

Capítulo Dois

A ordem de nascimento e os relacionamentos

O *Webster's New World Collegiate Dictionary** define *compatível* como "capaz de viver junto harmoniosamente, ou de dar-se bem juntos". Essa é uma boa definição, mas para os nossos propósitos não é ampla o suficiente. Nós definimos compatibilidade como a capacidade de duas pessoas apreciarem a companhia uma da outra.

Apreciar é a palavra-chave em nossa definição. Podemos nos adaptar, por livre escolha, a pessoas das quais não gostamos muito. Mas apreciamos nossos amigos; ficamos ansiosos para passar algum tempo com eles e consideramos esse tempo bem gasto, porque o aproveitamos bem.

Se você refletir sobre os seus relacionamentos, esse componente de "apreciação" faz sentido. Um relacionamento são duas pessoas criando sentimentos uma na outra. Se os sentimentos são bons, a relação será boa; se são ruins, a relação será ruim. E, se não há sentimento algum, não há relacionamento.

---

* Dicionário bastante popular nos Estados Unidos. (N.T.)

Compatibilidade = Igualdade

Pense em seu relacionamento como uma gangorra, com seu parceiro em uma ponta e você em outra. A graça da gangorra é dar e receber: às vezes você está lá em cima, às vezes é seu parceiro quem sobe. Enquanto a gangorra continua a se mover, cada um de vocês fica em cima pela mesma quantidade de tempo. Mas, se a gangorra pára com um de vocês em cima, acaba o jogo de dar e receber; a igualdade desaparece.

A capacidade de apreciar um ao outro – de ser compatível – requer um relacionamento entre iguais, no qual vocês se relacionem como indivíduos, com respeito mútuo e flexibilidade. Se você e seu parceiro não estão em pé de igualdade, nenhum dos dois pode realmente apreciar o outro, pois sua energia será empregada principalmente em manter esse incômodo desequilíbrio.

A desigualdade em um relacionamento pode ser causada por vários fatores – incluindo as estratégias adotadas desde a nossa infância para lidar com os problemas da ordem de nascimento:

- Os filhos únicos criam relacionamentos desiguais quando projetam seus sentimentos nos parceiros. Na parte alta da gangorra, eles tentam controlar as emoções do outro "arranjando" as situações até que o outro reaja da forma que esperam. Na parte baixa da gangorra, os únicos se retiram ao seu mundinho próprio.
- Os primogênitos se colocam na ponta alta da gangorra quando exigem concordância sem questionamento de seus esposos. De modo inverso, ficam na ponta baixa da gangorra quando deixam seus esposos tomarem todas as decisões.
- Os segundos filhos criam relacionamentos desiguais quando tentam "aperfeiçoar" seus parceiros. Mesmo que as críticas de um segundo filho sejam construtivas, elas tendem a

estabelecer uma dinâmica de professor e aluno, com o segundo filho no papel de autoridade — ou seja, na ponta alta da gangorra. Os segundos ficam na ponta baixa da gangorra quando tentam continuamente pacificar seus parceiros.

- Os terceiros filhos criam relações desiguais quando pensam em seus parceiros como vítimas. O relacionamento inteiro se transforma em uma operação-salvamento em que o terceiro assume a responsabilidade de resolver problemas – na ponta alta da gangorra. Os terceiros podem ficar também na ponta baixa quando trabalham duro só para agradar a seus companheiros.
- Os quartos filhos criam relacionamentos sem igualdade quando vêem seus parceiros como propriedades suas. O quarto filho se coloca como "proprietário" – ou seja, aquele que tem o poder de tomar as decisões e ficar na parte alta da gangorra. Para os quartos filhos, a parte baixa da gangorra se traduz como passividade.

Notou como cada personalidade por ordem de nascimento tem seu jeito próprio de controlar os outros? O controle pode ser sutil ou declarado. Pode ser perigoso ou benevolente. Algumas vezes é mesmo necessário que um dos parceiros tome o controle. Mas isso sempre prejudica o equilíbrio de um relacionamento, criando desigualdade.

Tomemos o exemplo de uma mulher terceira filha, que se casa com alguém por quem ela sente compaixão. Seu marido é a vítima – não apenas de forças externas, mas também da compaixão de sua mulher. Nesses papéis, eles não podem se relacionar como iguais; ele deve contar com ela para resolver seus problemas, e ela deve ser forte para salvá-lo. Não há como essas duas pessoas se apreciarem mutuamente.

Sempre que um dos parceiros se sente vítima, o outro automaticamente é empurrado para o papel de salvador ou de perseguidor. Esse esquema é conhecido como triângulo dramático, e funciona assim:

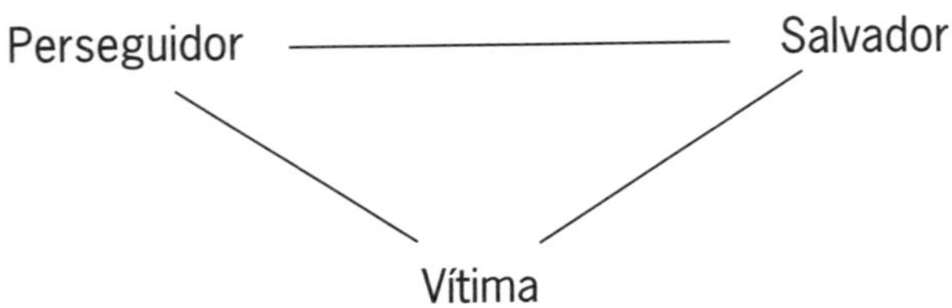

No vértice inferior do triângulo existe uma pessoa impotente. Ela está à mercê de seu perseguidor, que lhe inflige dor e angústia, ou do salvador, que resolve todos os seus problemas. Para a vítima, parece que o único jeito de sair do fundo desse triângulo é se tornar um perseguidor ou um salvador – o que automaticamente empurra outra pessoa para o papel de vítima, e esse padrão de comportamento se transforma em um ciclo interminável. A única fórmula para restaurar o equilíbrio – ou seja, um relacionamento de igualdade – é que os dois parceiros abandonem seus papéis no triângulo dramático e passem a se relacionar enquanto indivíduos, embora isso possa ser muito difícil, particularmente se um deles (ou os dois) estiver habituado demais a interpretar seu papel.

Exercício: Será que você e seu parceiro caíram na armadilha do triângulo dramático? A maior parte dos relacionamentos de vez em quando passa breves períodos por ele, mas, quando isso se torna um padrão diário, o relacionamento está com problemas.

Para descobrir se o triângulo dramático está dominando seu relacionamento, reflita sobre as perguntas a seguir. Seja o mais honesto possível, e responda sim apenas se a pergunta parece descrever um aspecto típico do seu relacionamento. Mas, se a situação não acontece regularmente, responda não.

PARTE I – VOCÊ É UM SALVADOR, UM PERSEGUIDOR OU UMA VÍTIMA?

1. Quando seu parceiro enfrenta um novo projeto ou desafio, você imagina que ele precisará da sua ajuda para ser bem-sucedido?
2. Você fica bravo se seu parceiro não lhe dá atenção imediata?
3. Você costuma esperar que seu parceiro tome as decisões relativas ao seu relacionamento?

PARTE II – SEU PARCEIRO É UM SALVADOR, UM PERSEGUIDOR OU UMA VÍTIMA?

1. Quando você apresenta uma nova idéia sobre trabalho, mudança de decoração ou qualquer outro projeto, seu parceiro diz coisas como "Você não vai conseguir" ou "Eu vou te ajudar"?
2. Seu parceiro insiste que você largue tudo o que estiver fazendo quando ele precisa de ajuda ou atenção?
3. Seu parceiro parece incapaz de tomar uma decisão sem seu auxílio?

A primeira pergunta em cada parte determina se você ou seu companheiro estão fixados no papel de salvador. A segunda questão determina se um de vocês está fazendo o papel de perseguidor. A terceira questão determina se alguém está preso ao papel de vítima. Se você respondeu sim a qualquer dessas questões, pode ter caído no triângulo dramático. É melhor pensar seriamente em uma psicoterapia.

Compatibilidade = Humor

O humor é um componente essencial de qualquer relacionamento. É uma espécie de brincadeira adulta, um jeito de apreciar o outro e de se conectar com ele. Quando um casal perde seu senso de humor conjunto, a relação está com problemas.

O humor também estabelece igualdade em um relacionamento, pois, para apreciar o humor um do outro, as duas pessoas devem ter níveis de inteligência análogos. Isso não quer dizer que precisam ter o mesmo nível de educação formal. Escolaridade não significa inteligência, e duas inteligências não precisam ser do mesmo tipo para ser comparáveis. Uma mulher que estava planejando entrar na universidade casou com um homem que não sabia ler nem escrever, mas os níveis de inteligência dos dois eram comparáveis. No trabalho, ele podia desmontar uma máquina, reconfigurá-la, remontá-la e fazê-la funcionar melhor do que antes. O talento dele estava nas mãos; o dela, em habilidades acadêmicas.

Todo relacionamento tem algum nível de incompatibilidade. Quando a diferença aparece, o humor ajuda a suavizar os trancos. Conhecendo a ordem de nascimento, podemos entender o senso de humor um do outro, e de onde ele provém. Sem esse conhecimento, o que deveria ser divertido acaba sendo irritante ou até doloroso.

Alan e Sara aprenderam essa lição da forma mais difícil. Alan é um quarto filho e Sara é uma filha única. Esse pode ser o relacionamento mais difícil, porque nenhuma dessas ordens de nascimento tem um conhecimento anterior da outra. Os dois tinham sido casados antes, na mesma combinação: quarto/único. Os casamentos tinham terminado em divórcio, porque eles não conseguiram superar suas diferenças. Mas tanto Alan quanto Sara fizeram terapia durante o processo de rompimento de seus primeiros matrimônios, e aprenderam sobre sua personalidade por ordem de nascimento e a de seus parceiros. Eles levaram esse conhecimento para a nova relação; na verdade, se aproximaram quando um deles começou a falar no assunto.

Armados com esse *insight* sobre suas respectivas personalidades, Alan e Sara conseguem usar o humor para aumentar a compatibilidade. Alan pode brincar com a mania de organização de Sara, sua tendência à preocupação, e outras características de filha única. Sara faz piadas sobre o hábito de Alan de analisar tudo e fazer muito esforço – outros traços de um quarto filho. Assim, eles apreciam um no outro aquilo que, de outra forma, seria intolerável.

Exercício: As manias são engraçadas – se as olharmos do ângulo certo. Os problemas surgem quando não conseguimos colocar as coisas na perspectiva correta, e nossas manias ou as do parceiro se tornam fonte de irritação. Esse exercício foi pensado para colocar certa distância mental entre você e as coisas irritantes de seu parceiro – ou seja, para lhe dar um ponto de vista diferente. Assista a uma série cômica de tevê ou a um filme engraçado e preste atenção aos hábitos dos personagens. Note como esses hábitos se transformam em matéria-prima para o humor na série – e como os outros personagens reagem a isso, o que dizem e fazem. Depois pense nas coisas irritantes que seu parceiro faz rotineiramente – deixar pratos sujos na pia, por exemplo, ou ficar o tempo todo mexendo no carro, ou colocar o rolo de papel higiênico na posição errada, ou não parar quieto um minuto sequer. Tente relacionar esses hábitos aos personagens de séries ou filmes. Se seu parceiro reclama da bagunça na sala, por exemplo, isso o lembrará do comportamento de Mônica (da série *Friends*), que é maníaca por limpeza. Da próxima vez que ele fizer isso, pense no personagem da série ou do filme; com a prática, você descobrirá que se diverte com essa mania, em vez de se irritar.

Tenho um parceiro ideal?

Alguns de nós passam anos procurando o homem ou a mulher perfeitos – como se achar um parceiro fosse colocar uma peça de quebra-cabeça no lugar certo. A verdade é que nenhum relacionamento é cem por cento compatível em cem por cento do tempo. Às vezes ficamos com raiva um do outro, ou do mundo; outras vezes sucumbimos ao estresse, e as estratégias de enfrentamento de nossa ordem de nascimento interferem em nossa compatibilidade; e outras vezes, ainda, perdemos nosso senso de humor e, com ele, nossa habilidade para realmente apreciar algo ou alguém.

Existem fatores que melhoram a compatibilidade. Um deles – muito importante – é a relação que temos ou tivemos com nossas mães (para as mulheres) ou com nossos pais (para os homens). Subconscientemente, tendemos a recriar essa relação com nossos parceiros. Assim, se uma mulher tiver um bom relacionamento com sua mãe, é mais provável que ela crie um bom relacionamento com o marido. Se sua relação com sua mãe é complicada, as chances são de que seu casamento seja complicado também.

Para muitos de nós, o "parceiro ideal" poderia ser alguém com a personalidade por ordem de nascimento imediatamente seguinte à do pai (homens) ou da mãe (mulheres). Por exemplo, uma segunda filha com uma mãe que também é segunda pode ser compatível com um homem terceiro filho. A compatibilidade, dessa perspectiva, é ilustrada nas tabelas para homem e para mulher, que vêm a seguir.

Tabela do parceiro ideal

Um companheiro compatível pode ser determinado ao combinar a sua personalidade por ordem de nascimento com a personalidade por ordem de nascimento de sua mãe (mulheres) ou de seu pai (homens). Exceto no caso de únicos, a ordem de nascimento mais compatível é aquela imediatamente após a ordem de nascimento de sua mãe ou pai – conforme o seu sexo.

Personalidade por ordem de nascimento da mãe (colunas) × Personalidade por ordem de nascimento da filha (linhas)

	Única	*Primogênita*	*Segunda*	*Terceira*	*Quarta*
Única	Único	Primogênito	Segundo	Terceiro	Quarto
Primogênita	Único	Segundo	Terceiro	Quarto	Único
Segunda	Único	Segundo	Terceiro	Quarto	Único
Terceira	Único	Segundo	Terceiro	Quarto	Único
Quarta	Único	Segundo	Terceiro	Quarto	Único

Personalidade por ordem de nascimento do pai (colunas) × Personalidade por ordem de nascimento do filho (linhas)

	Único	*Primogênito*	*Segundo*	*Terceiro*	*Quarto*
Único	Única	Primogênita	Segunda	Terceira	Quarta
Primogênito	Única	Segunda	Terceira	Quarta	Única
Segundo	Única	Segunda	Terceira	Quarta	Única
Terceiro	Única	Segunda	Terceira	Quarta	Única
Quarto	Única	Segunda	Terceira	Quarta	Única

Você notou que os primogênitos não aparecem muito nessa tabela? Isso porque eles têm dificuldade em estabelecer conexões com outras pessoas; a exceção é o relacionamento primogênito/único, principalmente quando o único é do sexo masculino.

Interação pela ordem de nascimento

Cada combinação por ordem de nascimento tem seus pontos fortes e fracos. Lembre-se: a nossa ordem de nascimento determina como nos relacionamos um com o outro, como lidamos com as emoções, como nos comunicamos e como tomamos decisões. Em um casamento, cada personalidade por ordem de nascimento está procurando as próprias fontes de satisfação:

- Os únicos querem que seus parceiros se sintam bem, para que eles também possam se sentir bem (únicos sentem o mesmo que as pessoas ao seu redor).
- Os primogênitos querem aprovação, admiração ou respeito (seus substitutivos para o amor), de forma que tendem a concordar com os desejos de seus parceiros, ou a tentar impressioná-los.
- Os segundos colocam as necessidades de seus cônjuges e famílias acima das suas. Assim, não precisarão lidar com os sentimentos negativos em seus esposos e filhos.
- Os terceiros querem agradar a seus esposos e filhos para se sentirem seguros.
- Os quartos querem dar a suas famílias tudo de que precisam para que eles possam se sentir adultos.

Esses certamente não são atributos ruins. Mas podem causar problemas quando não entendemos o comportamento de nossos parceiros. Nos últimos capítulos deste livro, exploramos em detalhes a dinâmica de cada combinação de ordens de nascimento. A lista a seguir mostra um rápido esboço daquilo que as pessoas de cada ordem de nascimento podem apreciar ou não em seus parceiros.

Único / único

O filho único vive em seu próprio mundo. Quando dois únicos se casam, freqüentemente vivem juntos, mas cada qual na sua. Cada um deles tem necessidade de tempo a sós e entende essa necessidade no outro; por isso, não pressionam o parceiro. Os dois são organizados e detestam surpresas, de forma que seus estilos de vida são compatíveis. A área que mais pode causar problemas no relacionamento de dois únicos é a comunicação. Cada parceiro tende a projetar seus sentimentos e conteúdos no outro, o que pode causar frustração.

Único / primogênito

Únicos e primogênitos podem encontrar grandes dificuldades para comunicar-se. O único gosta de imaginar o que o outro pensa e sente, e os primogênitos falam vagamente a respeito do que pensam e sentem. Sinais não-verbais são muito importantes para que haja comunicação efetiva nesse relacionamento. O interessante é que a relação única/primogênito tende a ser bastante compatível. Em relacionamentos com essa combinação, o primogênito aprecia a habilidade da única para se expressar, dizer claramente o que quer, e permitir que ele faça o que quiser. A única não se sente pressionada pelo primogênito, e como ele é inseguro sobre o que pensa e sente, ela pode tranqüilamente imaginar seus pensamentos e sentimentos.

Único / segundo filho

Únicos e segundos filhos são a combinação em que é mais provável que ocorra o "amor à primeira vista". Essa também é a combinação mais comum nos casamentos, e em geral muito bem-sucedida. O único expressa suas emoções, mas não pressiona o segundo para fazer o mesmo. A autodisciplina e a confiabilidade do segundo filho liberam o único para ser organizado. Entretanto, o perfeccionismo do segundo filho pode frustrar o único, e a tendência deste para a projeção – combinada com a aversão a sentimentos do segundo filho – pode fazer com que ambos se sintam desconectados.

Único / terceiro filho

Únicos e terceiros filhos freqüentemente têm uma forte ligação emocional. O terceiro filho acha fácil agradar ao único e gosta da resposta emocional do companheiro. O único acha o terceiro filho cheio de cuidados e empatia. Mas a espontaneidade do terceiro filho pode causar muito estresse ao organizado único, e o desejo por tempo a sós do único pode levar o terceiro filho a se sentir inseguro.

Único / quarto filho

Únicos e quartos filhos podem ter um relacionamento maravilhoso – se se conscientizarem, desde o começo, de que nenhum dos dois é capaz de entender o outro instintivamente. Esse, entretanto, é um grande "se". Os dois acham que entendem o parceiro e os dois ficarão frustrados quando o outro não se comportar de acordo com o esperado. Por isso essa combinação pode ser a mais difícil de todas. A imaginação do único e a criatividade do quarto filho se complementam muito bem. O humor um tanto insultuoso do quarto filho se mistura bem com o sarcasmo do único. Mas enquanto ele demonstra suas emoções, o quarto tende a se retrair, e a necessidade do quarto filho de se sentir querido pode parecer intrusão para o único.

Primogênito / primogênito

Dois primogênitos raramente se casam; eles não têm a conexão emocional necessária à atração mútua. Mas, quando dois deles de fato se juntam, a relação pode ser duradoura, embora não necessariamente próxima. Cada um tende a procurar sentimentos positivos em outras pessoas, em vez de procurá-los no parceiro. Essa falta de conexão pode levar a sentimentos de tédio e obrigação com o cônjuge.

Primogênito / segundo filho

Essa combinação também parece ser rara, provavelmente porque o primogênito acha o segundo filho um pouco assustador. No princípio, isso pode atraí-lo, mas com o tempo as críticas do segundo filho, embora bem-intencionadas, soam como desaprovação para o primogênito; e a forma um tanto vaga de o primogênito expressar seus desejos pode ser irritante para o segundo filho. Assim como no relacionamento primogênito/primogênito, aqui também a conexão emocional é difícil, porque os primogênitos não sabem o que sentem, e os segundos filhos tentam suprimir seus sentimentos.

Primogênito / terceiro filho

Essa relação apresenta um desafio emocional direto para o primogênito. Ele pode achar a espontaneidade e a expressão livre de sentimentos do terceiro filho muito estimulantes, mas com o tempo pode se sentir ameaçado com isso. O terceiro é atraído pelos sonhos e objetivos do primogênito, mas pode se frustrar com a falta de concretização deles. Para o terceiro, é fácil agradar ao primogênito, que concorda com tudo que o parceiro quer. A passividade do primogênito e a agressão do terceiro podem causar problemas à relação.

Primogênito / quarto filho

Essa pode ser uma relação difícil para ambos, mas também muito satisfatória, se os dois entenderem a ordem de nascimento. O quarto filho tende a assumir o predomínio psicológico no relacionamento, e, se o primogênito tenta exercer poder emocional, pode estabelecer-se um padrão de retaliações. Quando o quarto entende que o primogênito não está em contato com suas emoções, pode dar direção ao relacionamento. Mas, se o quarto interpreta a ambivalência do primogênito como evasão, eles terão problemas para se relacionar.

Segundo filho / segundo filho

Esse pode ser um relacionamento muito compatível, já que os parceiros reforçam as tendências perfeccionistas um do outro. A crítica construtiva é bem-vinda para os dois, e a lógica, mais do que a emoção, é a força que guia o relacionamento. Esse casal tende a minimizar as emoções, e por isso o conflito aberto é raro. Entretanto, pode haver competição entre os dois, o que aumenta os sentimentos de inadequação de cada um dos parceiros.

Segundo filho / terceiro filho

Se o segundo filho não exige perfeição de seu parceiro, essa combinação pode resultar em um relacionamento muito satisfatório.

O segundo filho é atraído pela liberdade de expressão de emoções do terceiro filho. Mas a expressão da raiva pelo terceiro filho pode perturbar e confundir o segundo. O terceiro também pode se sentir frustrado com a atenção aos detalhes do segundo, que ele acha tediosa. O segundo precisa seguir regras claras e definidas, e o talento do terceiro para desobedecer regras pode causar problemas.

Segundo filho / quarto filho

Essas duas ordens de nascimento podem se dar bem porque seus padrões de pensamento – avaliação, para o segundo, e análise, para o quarto – complementam um ao outro. A tendência do quarto filho ao trabalho duro apela para a autodisciplina do segundo. Mas, se o quarto carrega consigo muita raiva, esse relacionamento pode ser estressante para o segundo. A distância emocional do segundo pode ser sentida como exclusão pelo quarto. E o segundo não entende como funciona a cabeça do quarto, o que pode ser fonte de conflitos.

Terceiro filho / terceiro filho

Esse pode ser o mais compatível dos relacionamentos. As duas personalidades trabalham para agradar uma à outra; eles entendem os pensamentos e sentimentos do companheiro. Se um deles for um terceiro filho do tipo destemido, e o outro for do tipo receoso, podem cair em uma dinâmica salvador-vítima. Ambos tendem a ser muito solícitos e protetores em relação aos filhos. Como ficam ansiosos para ajudar os outros, e têm dificuldades em estabelecer limites, outras pessoas podem se aproveitar do casal.

Terceiro filho / quarto filho

O terceiro pode achar o quarto um parceiro muito estimulante, mas a habilidade do quarto em manipular as pessoas pode despertar a vulnerabilidade do terceiro. Se o quarto filho reconhecer a necessidade de segurança do terceiro, e for honesto e confiável, esse pode ser um relacionamento muito satisfatório. O terceiro trabalhará duro para agradar ao quarto filho que, assim, se sentirá querido. Mas, se o quarto guardar consigo muita raiva, esse será um relacionamento muito difícil.

Quarto filho / quarto filho

Dois quartos filhos tendem a funcionar bem juntos porque um entende o outro instintivamente. Eles apreciam o trabalho duro e o senso de humor do parceiro. Os dois lutarão para dar um ao outro – e também aos filhos – tudo de que eles precisam. Quando as coisas ficam difíceis, um deles tende a se retrair; essa tendência pode levar a sérios problemas de comunicação e à sensação de não ser querido.

Para aumentar a compatibilidade

Como já dissemos, nenhum relacionamento é cem por cento compatível. Mas existem formas de incentivar maior compatibilidade. Talvez a mais importante seja entender a ordem de nascimento. Quando você sabe como cada personalidade por ordem de nascimento vê o mundo, lida com o estresse e tenta se relacionar com outras pessoas – e por que ela se comporta assim – muitos problemas que inevitavelmente surgem em relacionamentos de longo prazo diminuem. Com esses *insights*, vocês dois param de ver seu parceiro como alguém que intencionalmente torna sua vida difícil, e começam a se relacionar um com o outro como genuínos seres humanos.

Você vai encontrar aqui muitos desses *insights*, junto com uma grande variedade de instrumentos para ajudá-lo a identificar os pontos fortes e fracos em seu relacionamento e melhorar a natureza e a qualidade de sua relação com seu parceiro.

Por fim, não deixe escapar nenhuma oportunidade de aprender. Fale com outros homens e mulheres. Homens, leiam revistas femininas; mulheres, leiam revistas masculinas. Descubra o que os outros encontram em seus relacionamentos e o que eles sentem que está faltando. Quanto mais você souber, melhor estará preparado para aqueles momentos em que você e seu parceiro parecem menos compatíveis.

Exercício – De quantas formas eu o aprecio?

Compatibilidade é a capacidade de apreciar um ao outro. O exercício a seguir foi desenhado para medir o quanto você aprecia a aparência, os sentimentos e os comportamentos de seu parceiro. A primeira bateria de perguntas é para as mulheres; a segunda é para os homens. Dê notas a cada aspecto de seu parceiro em uma escala de 1 a 10, com 10 representando a apreciação máxima e 1 representando a mínima.

Mulheres, o quanto vocês apreciam:

1. A aparência dele 1 2 3 4 5 6 7 8 9 10
2. A maneira como ele fala 1 2 3 4 5 6 7 8 9 10
3. A maneira como ele responde a você 1 2 3 4 5 6 7 8 9 10
4. A maneira como ele a trata em público 1 2 3 4 5 6 7 8 9 10

5. A maneira como ele a trata a sós	1 2 3 4 5 6 7 8 9 10
6. A maneira como ele interage com outras pessoas	1 2 3 4 5 6 7 8 9 10
7. A forma como ele vê a si mesmo	1 2 3 4 5 6 7 8 9 10
8. Seus maneirismos	1 2 3 4 5 6 7 8 9 10
9. A maneira como ele se veste	1 2 3 4 5 6 7 8 9 10
10. Como ele faz você se sentir	1 2 3 4 5 6 7 8 9 10
11. A maneira como ele pensa	1 2 3 4 5 6 7 8 9 10
12. Seu relacionamento com outras mulheres	1 2 3 4 5 6 7 8 9 10
13. A maneira como ele compreende você	1 2 3 4 5 6 7 8 9 10
14. A confiança que ele lhe inspira	1 2 3 4 5 6 7 8 9 10
15. A companhia dele	1 2 3 4 5 6 7 8 9 10

Homens, o quanto vocês apreciam:

1. A aparência dela	1 2 3 4 5 6 7 8 9 10
2. A maneira como ela fala	1 2 3 4 5 6 7 8 9 10
3. A maneira como ela responde a você	1 2 3 4 5 6 7 8 9 10
4. A maneira como ela o trata em público	1 2 3 4 5 6 7 8 9 10
5. A maneira como ela o trata a sós	1 2 3 4 5 6 7 8 9 10

6.	A maneira como ela interage com outras pessoas	1 2 3 4 5 6 7 8 9 10
7.	A forma como ela vê a si mesma	1 2 3 4 5 6 7 8 9 10
8.	Seus maneirismos	1 2 3 4 5 6 7 8 9 10
9.	A maneira como ela se veste	1 2 3 4 5 6 7 8 9 10
10.	Como ela faz você se sentir	1 2 3 4 5 6 7 8 9 10
11.	A maneira como ela pensa	1 2 3 4 5 6 7 8 9 10
12.	Seu relacionamento com outros homens	1 2 3 4 5 6 7 8 9 10
13.	A maneira como ela o compreende	1 2 3 4 5 6 7 8 9 10
14.	A confiança que ela lhe inspira	1 2 3 4 5 6 7 8 9 10
15.	A companhia dela	1 2 3 4 5 6 7 8 9 10

Terminada a bateria de perguntas, some a pontuação de suas respostas.

120 pontos ou mais: Ou vocês são perfeitamente compatíveis, ou não se conhecem muito bem.

90-119 pontos: Seu relacionamento é bastante compatível. Vocês poderiam se esforçar mais em algumas áreas, para aumentar a capacidade de apreciação um do outro.

89 ou menos: Você está criticando demais seu parceiro, ou será que seu relacionamento precisa de ajuda? Tente se lembrar de quando você apreciava mais seu parceiro, e se pergunte o que, afinal, mudou desde então. Você pode se beneficiar de ajuda profissional.

Se tanto você quanto seu parceiro fizeram esse exercício e uma pontuação é alta e a outra baixa, talvez signifique que aquele com a pontuação mais baixa esteja na relação apenas para ajudar o parceiro. Ou seja, não está realmente apreciando o parceiro, mas sacrificando sua felicidade por amor ao outro. Cada ordem de nascimento tem razões diferentes para comportar-se assim. Os únicos permanecem na relação porque não agüentam ver outra pessoa infeliz. Os primogênitos continuam porque não querem ofender o parceiro, deixando-o. O segundo fica porque acha que está em um compromisso irrevogável. O terceiro fica para agradar ao parceiro. E o quarto continua para facilitar as coisas para o outro.

Agora, vamos examinar com mais profundidade cada uma das personalidades por ordem de nascimento e como elas se relacionam uma com a outra. Começaremos no próximo capítulo, com o filho único.

Capítulo Três

O filho único

O filho único nunca fica sem companhia. Desde a mais tenra idade, ele precisa aprender a brincar sozinho, sem se sentir solitário. Com esse objetivo, os únicos desenvolvem imaginações férteis e movimentadas vidas imaginárias, densamente povoadas com interessantes amiguinhos. Esses amiguinhos podem ser humanos ou animais, vivos ou inanimados. Com freqüência, os objetos do único assumem vida própria completa, com nome, personalidades distintas e (já que é o filho único que os imagina) reações muito previsíveis.

Essa previsibilidade é importante para o filho único. Ela o ajuda a se organizar, pois um comportamento previsível de um ser imaginário é muito mais fácil de enfrentar do que o imprevisível comportamento das pessoas na vida real. Em muitos casos, os únicos preferem ficar com suas coisas a ficar com outras pessoas; as pessoas não são, nem de longe, tão bem organizadas quanto seus objetos.

Um bom exemplo (ainda que não seja intencional) das preferências do único pode ser visto na comédia O *Panaca* (1979), estrelada por Steve Martin. O personagem de Martin está tendo um dia péssimo: perdeu uma ação judicial, seu negócio foi à bancarrota e, para piorar as coisas, tem uma briga terrível com a mulher. Ele ameaça partir, dizendo a ela: "Não preciso de você. Não preciso de nada, só disso", enquanto pega um cinzeiro. "O cinzeiro, esse joguinho e o controle remoto! É tudo de que eu preciso."

A verdade é que, às vezes, seus objetos são as únicas coisas de que um filho único precisa. Um filho único adulto, sozinho em casa, raramente se sente solitário, pois suas coisas estão lá, confortáveis e reconfortantes. Objetos nunca discutem; eles ficam onde são colocados; não o pressionam a fazer o que você não quer; são amigos verdadeiros e leais.

Esse apego aos objetos pode parecer um pouco esquisito se observado de uma perspectiva diversa da do filho único. Os únicos gostam de dar nome a seus veículos – um deles chamava seu primeiro carro novo de cavalinho marrom – e podem até dizer que vão "dar um banho" neles em vez de lavá-los. Os únicos dotam seus objetos de emoções humanas e imaginam que suas coisas se sentem sozinhas e negligenciadas se não passam tempo suficiente com eles. Depois de uma viagem, um único pode entrar em casa, pegar algo e dizer meigamente: "Senti falta de você!" Se um objeto está fora do lugar, prepare-se para um acesso de frustração: únicos não gostam quando outras pessoas mexem em suas coisas, porque isso perturba seu senso de organização.

A imaginação vívida do único se estende às outras pessoas. É tão fácil para o filho único projetar seus sentimentos, pensamentos e motivos em seus objetos, que fazer o mesmo com pessoas se torna muito natural. Em certo sentido, as pessoas na vida dele são imaginárias também – ele imagina como essas pessoas sentem, o que pensam, como agirão e reagirão, e os motivos por trás de suas ações. Quando as pessoas não sentem, pensam, agem ou reagem do jeito que o único espera, ele pode ficar frustrado, ou tentar *arranjar* a situação até que suas expectativas se realizem.

Fazer que o único em sua vida se relacione com você no mundo real pode ser um desafio; mas se você entender o que está se passando em seu mundinho singular, a experiência pode valer a pena.

Exercício: Imagine que você tem dois anos e está sentado no chão, cercado por brinquedos. Você coloca cuidadosamente cada brinquedo onde quer. De um ponto de vista adulto, pode não haver muita ordem em seu arranjo, mas eles estão organizados do jeito que você decidiu. Agora imagine que vem um adulto e decide ajudá-lo a arrumar seus brinquedos, à moda adulta. Você protesta; pode até tirar um brinquedo da mão do adulto e colocá-lo em seu lugar anterior. Imagine como é frustrante ter outra pessoa interferindo em algo que você faz e como se sente impotente quando esse adulto continua a interferir. Quando você imaginar claramente essa cena e os sentimentos que ela provoca, entenderá o que sente um filho único.

Isso vai aqui, aquilo vai lá

Assim como a natureza abomina o vácuo, os únicos abominam a desorganização. Sejam as ferramentas da garagem, os arquivos no trabalho ou os temperos no armário da cozinha, o único precisa saber que tudo está no seu devido lugar. Não que ele seja necessariamente um maníaco por ordem. Os arquivos na mesa do único podem estar empilhados aparentemente ao acaso, mas garantimos a você que o único saberá quais arquivos ficam em cada pilha, e quais não ficam.

A organização dá ao único, ao mesmo tempo, controle e conforto em seu mundinho; por isso eles tentam organizar tudo, qualquer coisa. E, depois que eles organizaram algo – a agenda do dia, a caixa de equipamentos de pescaria, ou o mapa de lugares para um jantar formal –, essa organização é de pedra e cal para ele. Se qualquer coisa vem perturbar seus planos – um atraso pela manhã, a falta de linha para pesca ou um convidado extra para a festa –, o único provavelmente sentirá que tudo foi arruinado e é preciso recomeçar. Seus acessos de frustração nessas circunstâncias parecem completamente fora de proporção para as outras ordens de nascimento – mas são assunto sério para o único.

Um filho único estava acampando com sua família quando uma chuva forte fez sua tenda cair e arrancou um par de estacas. Eles estavam no meio de uma viagem de três semanas, a cerca de 1.760 quilômetros de casa. Mesmo assim, o único decretou que as férias inteiras tinham sido arruinadas por esse acidente. "Pronto, vamos ter de voltar para casa", ele anunciou à família. Felizmente, o filho do sujeito era ex-escoteiro mirim; encontrou alguns arbustos, cortou os galhos e usou-os para conectar as estacas até que um conserto permanente pudesse ser feito. O pai único conseguiu se reorganizar com esse arranjo temporário, e a família continuou suas férias.

Exercício: Acredite ou não, os únicos podem aprender a gostar da desorganização – se puderem planejá-la. Introduza um pouco de *bagunça planejada* em sua agenda, como recompensa por toda a organização do resto de seu tempo. Digamos, para começar, meia hora por dia. Essa bagunça planejada é tempo completamente livre – sem programação, e sem planificar antes o que você vai fazer. Pode fazer o que tiver vontade. No começo, esse tempo sem planejamento vai parecer esquisito e desagradável, mas com o passar dos dias ficará mais divertido. Você pode gostar tanto dele que vai querer mais bagunça planejada em sua agenda!

Se você está mal, eu fico mal

Os sentimentos dos únicos freqüentemente estão amarrados aos das pessoas à sua volta. Essa conexão emocional simbiótica pode levá-los ao papel de "arranjador" quando os outros se sentem mal: os únicos querem que as pessoas à sua volta se sintam bem, para que eles também se sintam bem.

O filho do pai único que queria ir para casa quando as estacas da tenda quebraram também é uma personalidade de filho único – embora tenha uma irmã mais nova. A irritação de seu pai deixou sua mãe e sua irmã tristes, o que por sua vez deixou o filho infeliz. Ele só ia se sentir melhor se o ânimo da família melhorasse. Então, ele tinha de achar um jeito de *arranjar* a situação, para que todos ficassem felizes. A sua solução criativa para o problema teve exatamente esse resultado: o pai se acalmou, o que permitiu que a mãe e a irmã relaxassem, e ele se sentiu melhor, junto com todo mundo.

Os únicos não gostam de fazer ninguém se sentir mal. Todos os anos, uma menina segunda filha ficava com medo de ajudar seu pai, um único, a montar a árvore de Natal. A garota sabia que deixar a árvore reta seria difícil, e, quanto mais problemas eles tivessem com a árvore, mais bravo seu pai ficaria, e mais xingaria e praguejaria. Os segundos filhos são especialmente afetados pela raiva. Mesmo quando a raiva do único vinha em um rápido acesso, para expressar frustração, e acabava tão rápido quanto havia começado, a segunda filha sempre ficava nervosa quando sabia que seu pai ia explodir.

Em certo ano, a garota perguntou ao pai se ele podia montar a árvore de natal sem praguejar. O pai ficou surpreso ao ver que sua filha se lembrava de sua frustração de natais passados, porque para ele aqueles incidentes raivosos eram coisa do passado, assunto encerrado. Entretanto, agora que sabia que suas expressões de raiva faziam sua filha se sentir mal, esforçou-se para conter sua frustração.

Por mais louvável que seja o desejo de fazer todo mundo à sua volta se sentir bem, nem sempre os outros apreciam os esforços do único para arranjar as coisas. Às vezes, as pessoas precisam expressar seus sentimentos para que os outros entendam o que está se passando com elas. Esse pode ser um ponto cego para o único, e se ele persiste em arranjar seus sentimentos, ou os do parceiro, esse provavelmente sentirá que o único não está de fato escutando-o nem levando a sério o que sente.

Exercício: Os únicos geralmente escutam um apelo à ação em quase tudo que os outros lhes dizem. Se outra pessoa fala de um problema com seu carro, o único oferece ajuda para consertá-lo, ou recomenda um bom mecânico – antes mesmo de ter certeza de que a outra pessoa não sabe consertá-lo nem dispõe de um mecânico de confiança. Se você é um único, para fugir dessa tendência faça a si mesmo três perguntas: Eu posso resolver? Devo resolver? Será que essa pessoa quer que eu resolva? Se a resposta a qualquer uma dessas três perguntas for "não", então a outra pessoa só está querendo contar seu problema, e você pode desligar o botão de "resolver". Se você não tem certeza de se a pessoa está ou não pedindo para você resolver o problema, simplesmente pergunte: "Quer ajuda (ou conselho)?"

Se seu parceiro é um único com tendência a arranjar as coisas quando você só quer desabafar, comece a sua fala com a frase "Olhe, eu só quero desabafar". Essas palavras mostram ao único como agradá-lo, e vão tirar um fardo de suas costas.

Eu só quis dizer que...

No mundo imaginário do filho único, não é necessário deixar suas intenções claras, porque todos sempre adivinharão o que ele quer dizer, sejam quais forem as suas palavras ou o seu comportamento. Você sabe o que os outros estão pensando e os outros sabem o que você pensa; portanto, não é necessário explicar nada. Nesse mundo, você nem precisa terminar suas frases.

Já no mundo real, essa característica do filho único pode atrapalhar a comunicação genuína. Os únicos freqüentemente interrompem os outros porque julgam que já sabem o que a outra pessoa ia dizer. Muitas vezes, os únicos não dizem exatamente o que querem mas algo próximo, pensando que os outros o entenderão. É raro ouvir um único dizer: "Vamos ligar o aquecimento". Em vez disso, é mais provável que diga: "Está frio aqui, não é?" ou "Você não está com frio?". Note que essas duas perguntas pedem "sim" como resposta. Se a outra pessoa disser "não", o único ficará genuinamente surpreso; ele achava que já sabia o que ela sentia, e se tiver errado o palpite ficará desorientado.

Da mesma forma, os únicos emprestam os próprios significados ao que os outros dizem. Se o cônjuge de um único diz: "Está frio aqui", o único com certeza aumentará o termostato, mesmo que seu cônjuge já esteja pondo uma blusa. Para o único, mesmo uma simples constatação como essa já é, na verdade, um chamado à atividade, para "arranjar" ou organizar a situação.

Os únicos também interpretam conceitos comuns a outras ordens de nascimento de forma que eles se encaixem em suas percepções. Por exemplo, os primogênitos costumam se sentir culpados quando julgam que ofenderam alguém. Os únicos captam esse conceito de culpa como sendo o mesmo que eles sentem quando não fazem as coisas. Os segundos filhos se sentem inadequados porque acreditam que os outros podem fazer as coisas melhores do que eles, mas os únicos traduzem a inadequação como a incapacidade de conseguir o que querem. Na mente do único, o senso de vulnerabilidade do terceiro filho se transforma na tendência do único a se preocupar com o futuro. E a visão do quarto filho, que se sente apanhado em uma armadilha, é interpretada como o sentimento de ser chamado à ação. Assim, mesmo quando usam as mesmas palavras, os únicos e outras personalidades por ordem de nascimento querem dizer coisas diferentes, e essa falta básica de comunicação pode ser muito frustrante para ambos.

Exercício: Os únicos tendem a viver no próprio mundo, e por isso eles freqüentemente não levam em consideração as pessoas à sua volta. Também tendem a inferir que os outros sabem o que eles sentem ou pensam. Esse exercício ajuda a romper com essa tendência.

Hoje, quando você e seu parceiro estiverem juntos, preste muita atenção nele. Repare na comunicação não-verbal – expressões faciais, movimentos dos olhos, gestos etc. Quando achar que sabe o que seu parceiro está pensando ou sentindo, confira seus acertos com frases assim:

- "Você parece... (feliz, triste, cansado, relaxado, ou seja o que for que você observar)".
- "Parece que você precisa de... (um descanso, uma ajuda, ou seja o que for que você ouça por trás das palavras dele)".
- "Você age como se estivesse... (interessado, frustrado, animado, ou seja qual for a atitude que você achar que está captando)."

Faça esses comentários de forma positiva, e lembre-se de que você pode estar errado em sua interpretação. Se o seu parceiro corrigi-lo, escute-o. Preste atenção às reações dele. Você pode descobrir que ele está contente com sua observação, mesmo que você não tenha captado as coisas corretamente. Seu parceiro pode ficar feliz em lhe dar informações honestas sobre ele mesmo – e não baseadas no que você imagina ou toma como verdade.

Só trabalho, sem diversão

Quando eram crianças, os únicos desenvolveram duas velocidades para fazer as coisas. Faziam rapidamente aquilo de que gostavam para que os pais ou outras pessoas não tivessem chance de se intrometer. Faziam bem devagar as coisas de que não gostavam, na esperança de que os pais ou outras pessoas se oferecessem para ajudar.

Já adultos, os únicos ainda usam essas duas velocidades para fazer as coisas, embora possam aprender a fazer coisas chatas bem depressa, para acabar logo. Em geral, entretanto, os únicos costumam se divertir rapidamente e trabalhar devagar. Como resultado, o único sente que tem menos tempo para se divertir. O problema é agravado pela dificuldade do único de separar trabalho de diversão. Quando ele está trabalhando, freqüentemente se pega pensando nas coisas divertidas que preferiria estar fazendo. E, enquanto está se divertindo, tende a se preocupar com o trabalho a fazer. Na hora da diversão, os únicos não relaxam o suficiente para se divertir; o trabalho está sempre no pano de fundo, e eles se sentem culpados por abandoná-lo.

Quando o único quer ajuda em um projeto, pode não pedi-la diretamente. Em vez disso, pode dar uma pista, uma espécie de convite para que o outro ofereça ajuda. Se um único diz: "Nossa, esta cozinha está uma bagunça" ou "Este armário precisa ser arrumado" ele pode esperar que você ofereça ajuda. Se você não oferecer, ou não puder ajudar naquele exato momento, prepare-se para um acesso de frustração. Quando os únicos fazem esse tipo de convite, querem dizer duas coisas. Primeiro, que passaram por uma luta interna e estão admitindo, do seu jeito, que não podem ou não querem fazer aquilo sozinhos. Segundo, que já se programaram para ser ajudados quando forem completar sua tarefa. A luta interna pode gerar raiva no único, e a mudança de planos os deixa mais bravos ainda.

Uma única teve esse tipo de reação depois de pedir a seu marido que a ajudasse a mover uma caixa pesada. Ele estava na internet e queria terminar o que estava fazendo, portanto disse: "Não posso agora. Mais tarde eu ajudo você". A mulher ficou enfurecida e disse, na linguagem clássica dos únicos: "Esqueça, eu faço sozinha", e então ficou lutando para mover a caixa. Ela se programara para fazer o serviço naquele exato momento, e não podia tolerar a mudança de planos – principalmente porque seu marido não lhe disse quando a ajudaria, de forma que ela pudesse se reorganizar.

Felizmente esses acessos não duram muito e geralmente os únicos não guardam raiva. No futuro, incidentes como esses muitas vezes viram piadas para eles. Da próxima vez que o marido dessa mulher prometer ajudá-la com uma tarefa, ela provavelmente dirá: "Claro, como você me ajudou com aquela caixa".

Exercício: Os únicos tendem a ver o tempo como limitação, e não como recurso; sentem que nunca há tempo suficiente para fazer o que querem. Você pode transformar o tempo em um recurso reservando tempo extra em sua agenda. Por exemplo, se acha que vai gastar trinta minutos para limpar a cozinha, reserve quarenta e cinco. Se reservou duas horas para jantar em um bom restaurante antes de ir ao cinema, conceda-se trinta minutos extras. "Acolchoando" desse jeito a sua agenda, você se sentirá menos pressionado e poderá relaxar, sabendo que terá tempo para terminar as coisas com calma.

O único e outros únicos

Dois únicos vivem juntos em mundos separados. Em geral se sentem confortáveis assim, pois um entende o outro. Eles nunca chegam a discutir; podem explodir de vez em quando, mas a tormenta passa rápido e geralmente não deixa estrago. Os únicos não costumam pressionar um ao outro; não dão ultimatos; não tentam forçar o outro a nada. Cada um entende a necessidade do outro de ficar sozinho às vezes e de ter uma programação organizada, e nenhum deles se sente ameaçado por essas necessidades. Um entende o que o outro quer dizer, mesmo quando não fala claramente.

Esta é a única combinação de ordens de nascimento que não parece exigir vínculos para resultar em um relacionamento feliz, embora o vínculo sempre ajude. Um casal formado por únicos se conheceu e casou em três dias. Mais tarde, suas respectivas carreiras os afastaram um do outro, mas isso não lhes causou problema. O relacionamento resistiu, em parte porque um projetava no outro seus pensamentos e sentimentos. E, como ambos eram únicos, essas projeções não ficavam longe da realidade.

Os únicos podem criar vínculos mesmo sem se dedicar às atividades que costumam formar vínculos. Eles não gostam de fazer planos com muita antecedência, porque não sabem se estarão com vontade de realizar o objeto do plano quando a hora chegar. Uma atividade não planejada interfere na programação mental do único, causando frustração. Foi o que aconteceu com Adam e Jéssica, dois únicos que nunca conseguiam sair um com o outro, depois que foram morar juntos. Adam sugeria que fossem jantar fora, e Jéssica dizia: "Não estou com vontade hoje. Pode ir com Tom, se quiser". Jéssica sugeria que fossem visitar seus pais, e Adam dizia: "Preciso fazer algumas coisas por aqui. Vá você, e mande um abraço para eles". O arranjo funcionava porque os dois gostavam de passar tempo sozinhos, mas também fazia com que nunca passassem tempo juntos, perdendo assim muitas oportunidades para reforçar seu vínculo.

Esse problema pode se tornar visível quando a relação entre dois únicos chega ao fim. Uma única que tinha sido casada por muitos anos com um único tinha dificuldade em fazer seu marido ajudá-la com os cuidados e a criação dos filhos. Esse casal conversava muito, mas se comunicava muito pouco. Seus comentários eram reflexos das próprias percepções, em vez de resultar de uma escuta atenta do outro. Eles falavam um para o outro em vez de falar um com o outro, e não conseguiam resolver problemas juntos. Por fim, a mulher decidiu que estava farta e pediu o divórcio. Ela era muito fria quando falava do fim de seu casamento – algo estranho para um único, que pensa com suas emoções. A falta de vínculo tornou essa decisão mais fácil para ela; não havia conexão emocional e, portanto, o rompimento não podia causar-lhe dor.

Para Ângela e David, a falta de manutenção de vínculos contribuiu para o rompimento. Durante os dez anos de seu casamento, eles pareciam se dar bem, mas David tinha permitido que sua personalidade adicta tomasse conta de sua vida. Ele era viciado em álcool, em jornadas de dezesseis horas de trabalho diárias e em esportes, que assistia assim que tinha um momento livre. Não havia tempo para a família. O casamento só durou tanto porque Ângela era uma única e tolerava bem a solidão.

Mas, quando outro homem começou a se interessar por ela, Ângela entendeu o que estava perdendo. Esse outro homem despertava bons sentimentos nela, enquanto David não criava sentimento nenhum, bom ou ruim. Ângela decidiu se divorciar de David.

Quando ela falou com o marido, David entrou em pânico. Acontece que ele era tão viciado em Ângela quanto em esportes ou bebida. Entrou em terapia e tentou usar o que aprendeu ali, pressionando Ângela a ficar. Mas sua principal preocupação, mesmo nessa ocasião, era com suas necessidades. Ele se sentiria mal se ela fosse embora; portanto, ela devia ficar para que ele se sentisse bem. A pressão que David colocou em Ângela só fez com que ela quisesse sair ainda mais rápido do relacionamento.

Exercício: Os únicos não gostam de planejar nada com muita antecedência, mas, sem uma programação, tendem a negligenciar as coisas que reforçam e nutrem seu vínculo mútuo. Para tratar disso, monte uma agenda semanal para você e seu parceiro, que inclua ao menos uma atividade por semana juntos, longe de casa. Inclua também um bloco de duas ou mais horas que você e seu parceiro possam passar sozinhos em casa. Planeje apenas uma semana de cada vez; se tentar planejar períodos mais longos, você dificilmente vai ter vontade de cumprir o plano na terceira ou quarta semana. Uma agenda semanal permite que o único organize seu pensamento. Planejar tempo juntos, longe de casa, e tempo sozinho em casa, contempla tanto a criação de vínculo entre os únicos quanto a sua necessidade de tempo a sós.

O único e o primogênito

Os únicos e os primogênitos tendem a se juntar quando ainda jovens. Depois dos trinta, essas duas ordens de nascimento geralmente não sentem atração suficiente uma pela outra – em parte porque, com a idade, desenvolvemos o senso crítico e esperamos mais de nossos parceiros.

Quando únicos e primogênitos de fato se juntam, o resultado pode ser uma relação duradoura, embora às vezes problemática. Essa combinação pode ser mais fácil quando a mulher é única; os homens únicos são mais objetivos e exigem mais retorno de seus parceiros. Já a mulher primogênita não sabe o que os únicos pensam ou sentem e, portanto, é incapaz de dar esse retorno. Em contraste, as únicas conseguem se estruturar melhor com os primogênitos, e não exigem o tipo de retorno de que os únicos fazem questão.

A área com maior potencial de conflito – ou, no mínimo, mal-entendidos – é o conceito de agradar ao parceiro. Os únicos querem que seus parceiros sejam felizes para que eles o sejam também; e trabalham duro para atingir seu objetivo. Entretanto, como os primogênitos não sabem o que querem, o único muitas vezes tem de adivinhar, e isso pode trazer problemas.

Foi o que houve com Christian e Júlia. Eles se conheceram no começo da adolescência e se tornaram companheiros habituais, fazendo tudo que os adolescentes costumam fazer juntos e desenvolvendo um vínculo poderoso. Mas, muitas vezes, Christian tinha de adivinhar o que Júlia queria, porque ela não conseguia lhe dizer. Suas conversas eram mais ou menos assim:

"Júlia, você gostaria de ver um filme hoje à noite?", perguntava Christian.

"Tanto faz. Pode até ser", ela respondia.

"Que filme você quer ver?"

"Não sei. O que você escolher, eu topo."

"Que tal o que está estreando nesta semana?"

"É, a gente podia ver esse."

Christian ficava perdido, pois não conseguia descobrir exatamente o que Júlia desejava. Ele queria fazê-la feliz, mas não sabia como. Nas raras ocasiões em que ela expressava uma opinião, Christian ficava deliciado; finalmente tinha "material de trabalho". Mas essas ocasiões eram tão raras e distanciadas, que Christian tinha dificuldade de distinguir entre as fantasias de Júlia e as coisas que ela realmente queria. Quando ela disse que estava pensando em fugir de casa, Christian pensou que esse fosse um desejo genuíno dela, e deu um jeito de realizá-lo. Eles fugiram juntos; Júlia embarcou na aventura porque não sabia o que realmente desejava. Alguns dias mais tarde, foram encontrados em um estado distante e levados de volta para casa, mas Christian não desistiu. Ele achava que Júlia queria fugir, então arranjou outra escapada. Dessa vez, eles foram separados pela lei, e não se viram por muitos anos.

Quando se encontraram de novo, Júlia já tinha passado por dois breves casamentos e Christian servira por algum tempo no Exército. O antigo vínculo voltou, e tomou conta dos dois; eles se apaixonaram e casaram.

Mas o padrão de seu relacionamento não tinha mudado. Christian ainda queria fazer Júlia feliz, mas não sabia o que ela queria, porque ela mesma não se conhecia. Christian agarrava-se a cada pequena pista, tomando as frases mais casuais de Júlia como prova de seus desejos, e agindo na esperança de fazê-la feliz.

Um dia, Júlia expressou admiração por um rapaz muito másculo. Christian, pensando que era isso que ela queria, passou a exibir sua virilidade. Deixou seu cabelo crescer, dirigia motocicletas e começou a falar em frases secas e curtas, agindo como se nada o afetasse. Mas, como Christian não era mais ele mesmo; ele e Júlia não conseguiam mais se conectar. Sem nada para sustentá-lo, seu poderoso vínculo foi sumindo, e depois que as crianças cresceram, cada um foi para o seu lado. Depois do divórcio, Christian abandonou a fachada machista. Não precisava mais agradar Júlia; podia ser ele mesmo.

Exercício: Únicos e primogênitos que querem agradar um ao outro têm uma terrível dificuldade em se comunicar – e, como resultado, ninguém fica feliz. Se você é um único, pode encorajar seu primogênito a lhe contar o que quer dizendo simplesmente: "Eu gostaria que você (escolhesse um filme ou um restaurante etc.)" Essa frase mostra ao primogênito como ele pode agradá-lo.

Se você é um primogênito, pode encorajar seu parceiro único a parar de adivinhar o que você quer, pedindo a ele para tomar a decisão: "Escolha um filme para nós vermos, tá?" Com essa fase, o único sabe como "arranjar" o problema, e não precisa ficar adivinhando.

O único e o segundo filho

Únicos e segundos filhos são as ordens de nascimento com maior probabilidade de se apaixonarem à primeira vista. A forma com que o único expressa suas emoções e sua atenção aos detalhes quando conta histórias atrai o segundo filho, enquanto a confiabilidade do segundo e sua boa vontade em conceder a seu parceiro tempo a sós parecem ter caído do céu para o organizado único. Mas essas duas personalidades também podem dar nos nervos uma da outra. As contínuas críticas do segundo filho pressionam o único e a tendência do único de adivinhar os desejos do segundo pode fazer com que esse se sinta incompreendido.

Bárbara e Max quase se divorciaram por causa das "críticas construtivas" de Max. Como única, Bárbara ficava ressentida com reparos; elas a faziam sentir que não sabia fazer nada certo. Max, como a maioria dos segundos filhos, pensava que os outros compartilhavam de sua ânsia pela perfeição e oferecia suas críticas de uma forma que ele imaginava ser muito útil para ajudar Bárbara a chegar à perfeição. Toda noite, quando ele chegava em casa vindo do trabalho, sempre tinha uma crítica a fazer, nunca um elogio. Ele observava que as estantes precisavam ser espanadas, mas nunca reparava no banheiro que brilhava de limpeza. Ele dava idéias para que ela administrasse seu tempo melhor, mas nunca a cumprimentava por seus malabarismos para manter a carreira, cuidar dos filhos e administrar a casa. Finalmente, suas críticas constantes desanimaram tanto Bárbara que ela anunciou que queria terminar o casamento.

O efeito desse anúncio foi quase mágico. Max de repente entrou em contato com os sentimentos de Bárbara – o que não é fácil para um segundo filho – e começou a lutar para que ela se sentisse bem casada com ele. Foi difícil no começo, porque elogiar alguém não é muito natural para os segundos filhos; mas Max começou a prestar atenção aos sentimentos de Bárbara, e foi melhorando com a prática. No fim, ele aprendeu a gostar de lhe dar um retorno positivo. Bárbara não se sentia mais pressionada, e os dois reaprenderam a apreciar um ao outro.

Como estão acostumados a imaginar o que os outros sentem, os únicos têm um ponto cego quando precisam prestar atenção aos sentimentos alheios. Martin, um único, e Jennifer, uma segunda filha, se apaixonaram à primeira vista. Eles eram tão compatíveis que nenhum dos dois tinha de se esforçar muito para agradar ao outro. A apreciação mútua veio naturalmente e eles se deliciavam com ela. Quando estavam prontos para casar-se, Martin estava tão feliz que planejou uma surpresa especial para Jennifer: reformou sua casa para que ficasse bonita quando ela mudasse para lá. Ele esperava que Jennifer se sentisse feliz com a casa. Quando ela ficou deprimida e desmotivada, Martin se sentiu confuso e infeliz. Ele não entendeu que Jennifer ficaria mais feliz se a reforma da casa tivesse sido um projeto seu ou algo que os dois tivessem feito juntos. Martin imaginou que Jennifer queria as mesmas coisas que ele; ela sentiu que Martin na verdade não a entendia e não queria sua opinião. As coisas melhoraram quando eles tiveram filhos. Jennifer se recuperou de sua depressão criando os filhos junto com Martin.

Exercício: A busca contínua da perfeição pelo segundo filho é sentida como pressão pelo único, que quer fazer tudo certo já na primeira vez. Se você é um único, pode se contrapor às críticas de seu parceiro – um segundo – dizendo: "Pode não estar perfeito, mas..." O segundo filho perceberá que, para você, bom já está ótimo.

Se você é um segundo filho e quer que seu parceiro único preste atenção ao que de fato diz, fale: "Não sei o que você acha, mas eu..." A frase alerta o único para o fato de que você pode ter idéias ou opiniões diferentes.

O único e o terceiro filho

Únicos e terceiros filhos são atraídos um pelo outro porque os dois têm elementos emocionais muito fortes em suas personalidades. A diferença entre essas duas ordens de nascimento é que os únicos *pensam* com seus sentimentos e os terceiros filhos *agem* com seus sentimentos. E daí pode surgir conflito.

Quando os únicos pensam com seus sentimentos estão, na verdade, estruturando seu comportamento, e até sua programação, em torno do que sentem. Eles fazem planos com base em seus sentimentos ou nos das pessoas próximas. Mas para os terceiros filhos – em especial os terceiros destemidos – os sentimentos podem mudar de uma hora para outra, e conseqüentemente seu comportamento também muda rápido, independentemente de planos ou programações. A espontaneidade do terceiro filho pode ser intolerável para o único, tão organizado. Da mesma forma, a organização do único pode parecer restritiva ao terceiro, que fica entediado.

Quando um único se recusa a ser atraído para fora do seu mundinho, o relacionamento com o terceiro filho pode ser frustrante para os dois lados. Foi o que aconteceu com Jean, um único, e Diana, uma terceira filha do tipo destemido. Os dois têm quarenta e poucos anos. Durante os dez anos de seu casamento, Jean tem vivido em seu próprio mundo, em um sistema fechado, resistente aos esforços de Diana para fazê-lo entender seus sentimentos e desejos. Como terceira filha do tipo destemido, Diana ataca Jean para convencê-lo – o que só serve para colocá-lo na defensiva. Finalmente, em um desesperado esforço para se comunicar com ele, Diana saiu de casa. Ela não quer que o casamento acabe. Ela quer melhorá-lo. Mas não conseguiu outro jeito de fazer Jean levar o problema a sério.

Jean concordou em fazer terapia, mas por algum tempo continuou a viver no próprio mundo, imaginando como Diana estaria se sentindo ou o que estaria pensando, sem nunca ouvir o que ela dizia. Sozinho, e sem nenhuma indicação da parte de Diana, Jean decidiu que ela voltaria para casa depois do Natal. Quando ela não voltou, ficou deprimido e passou suas vibrações ruins para ela e para os filhos do casal. Depois ele pediu desculpas por seu comportamento, mas justificou-o dizendo que era assim que se sentia. Em outras palavras, não tinha culpa de ter se sentido mal quando Diana não voltou para casa como ele imaginava.

Estava claro que Diana e Jean ainda tinham problemas para se comunicar. Na terapia, sempre que Diana fazia alguma crítica, Jean levantava as mãos num gesto defensivo e a interrompia, dizendo: "Eu sei, eu sei". Diana sentia que Jean não a estava escutando, e ela estava certa.

De sua parte, Diana freqüentemente se ofendia com coisas que Jean dizia porque interpretava as palavras do marido sob a sua ótica de terceira. Como único, Jean não dizia exatamente o que queria, e sim algo próximo. Quando Diana dava sua interpretação às palavras dele, Jean ficava de novo na defensiva e tinha de lhe explicar que não era aquilo que queria dizer.

Para abrir as linhas de comunicação, Jean teve de aprender a ouvir o que Diana dizia, em vez de imaginar que já sabia o que ela ia dizer. Diana teve de aprender a perguntar a Jean o que ele queria dizer, em vez de emprestar às palavras dele o sentido que *ela* dava. Entender a ordem do nascimento e como ela afeta seu comportamento está ajudando Jean e Diana a se comunicarem melhor e a entenderem a visão de mundo um do outro.

Leonardo e Beth também estão fazendo terapia para entender melhor um ao outro e às suas personalidades por ordem de nascimento. Leonardo, um único, tinha sido atraído por uma segunda filha, mas os pais dele não a aprovaram. Entretanto aprovaram Beth, uma terceira filha do tipo destemido. Como bom único, Leonardo queria fazer a coisa certa e não aborrecer seus pais; por isso, resolveu se casar com ela. Ele teve suas hesitações – até mesmo durante a festa de casamento – mas conseguiu livrar-se desses sentimentos ruins dizendo a si mesmo que Beth era uma boa pessoa e que seus pais estavam certos.

Visto do lado de fora, o casamento parecia ótimo. Leonardo e Beth vinham de lares estáveis, e por isso criaram seu lar harmônico. Eles cuidavam das finanças, não abusavam de álcool ou drogas, construíram boas carreiras e tinham dois lindos filhos. Tudo era perfeito – mas Leonardo não estava contente.

As coisas chegaram a um ponto crítico quando Leonardo e Beth fizeram 26 anos. Esse é um dos pontos de passagem em nossa vida. É quando paramos de acreditar em mágica e contos de fada e começamos a assumir responsabilidade por nossa vida. Depois desse aniversário, Leonardo finalmente admitiu que estava infeliz com sua vida, por melhor que ela fosse. Ele sabia que, se terminasse o casamento, os outros não entenderiam; na superfície, seu relacionamento com Beth parecia perfeito, e todo mundo o acharia maluco se ele o jogasse fora de repente.

Decidiu que não deixaria Beth. Em vez disso, tentou melhorar sua relação com ela. Eles começaram a sair juntos de novo para reforçar seu vínculo. Leonardo admitiu que, quando ia para casa, sentia um peso nos ombros, e só quando saía de casa o peso ia embora – um sentimento típico de um único. Para aumentar o vínculo, ele e Beth tiveram de se afastar de casa.

Eles também concordaram com uma terapia de longo prazo para ajudá-los a entender melhor um ao outro. No começo, Beth não via necessidade disso, pois de sua perspectiva estava tudo ótimo. Mas, depois que ela entendeu como Leonardo se sentia, concordou. Ao aprender mais sobre a ordem de nascimento, Leonardo e Beth estão começando a perceber o quão pouco entendiam um ao outro e a dinâmica de suas personalidades. É um trabalho árido para ambos. Só o tempo dirá se a terapia e o entendimento da ordem de nascimento bastarão para tornar o relacionamento emocionalmente satisfatório para os dois.

Exercício: Quando dizemos "Eu sei", em resposta ao que outra pessoa disse, o que realmente estamos dizendo é: "Não me conte mais nada porque já sei". E isso significa que não estamos dispostos a ouvir. Quando os únicos dizem "Eu sei", já emprestaram seu próprio significado ao que estão lhe dizendo. Para que o seu parceiro único o ouça, diga "Preste atenção ao que estou dizendo". O aviso tira o único de seu mundinho e chama atenção ao que você está tentando comunicar.

Se você não entende o que seu parceiro único está tentando dizer, pergunte: "O que você quer dizer?". Desse modo, o único saberá que você precisa de mais informação e responderá de acordo.

Se você é um único e seu companheiro – um terceiro – interpreta erradamente suas palavras, diga: "Não foi isso que eu quis dizer. Por favor, escute". Então explique seus sentimentos com outras palavras para ajudar o terceiro filho a interpretar corretamente sua mensagem.

O único e o quarto filho

Essa pode ser uma das mais difíceis combinações de ordem de nascimento – e uma das que mais podem levar ao abuso emocional e físico, em especial se o quarto filho carrega consigo muita raiva.

Em parte, o que faz esse relacionamento tão difícil é que os padrões de pensamento dos únicos e dos quartos filhos são diametralmente opostos. Únicos gostam de organizar coisas. Gostam de amarrar as pontas e embrulhar tudo em um pacote perfeito, de forma que possam afastá-los de sua memória e nunca mais ter de pensar naquilo (ou "se preocupar", uma das expressões favoritas do único). Os quartos filhos, por outro lado, são pensadores analíticos. Eles perguntam várias vezes "E se...", e adiam as conclusões até que sua análise esteja completa. O que, é claro, pode tomar algum tempo, e como resultado sempre ficam algumas pontas soltas no processo de pensamento do quarto filho.

Quando únicos e quartos filhos discutem algo, eles começam e terminam em lados opostos do espectro. Digamos que uma única e um quarto filho estão discutindo a abertura de uma conta Christmas Club* no seu banco. A única está ansiosa para que chegue dezembro, quando eles terão um pé-de-meia para gastar nos feriados**, sem precisar recorrer à sua conta de poupança comum. O quarto filho se pergunta o que acontecerá se eles precisarem daquele dinheiro antes do Natal. Eles não conseguiriam uma taxa de juros melhor colocando o dinheiro em um Certificado de Depósito Bancário (CDB) de curto prazo? Depois da discussão, o quarto filho diz que a idéia do Christmas Club parece muito boa. A única, tomando o comentário do quarto filho como uma conclusão, vai ao banco no dia seguinte e abre a conta. Mas, quando ela conta ao marido o que fez, ele fica aborrecido porque, pensando melhor, ele preferia aplicar o dinheiro no CDB. A única, que organizou seu pensamento a partir do que ele dissera no dia anterior, responde: "Mas você me disse que era uma boa idéia". O quarto filho se sente encurralado e pode reagir com raiva. A única se sente confusa e culpada, e então reestrutura seu pensamento em torno do último comentário do quarto filho. Nesse meio-tempo, o quarto estava analisando a reação dela, e decidiu que o Christmas Club era uma boa idéia afinal de contas, e além disso satisfaria a única. Mas, quando ele lhe fala da sua mudança de posição, a única novamente se desequilibra, pois já tinha se reorganizado para aceitar a opção do CDB. Esse ciclo pode se repetir várias vezes, juntando frustração na única e raiva no quarto filho.

---

* Conta especial oferecida pelos bancos nos Estados Unidos com a finalidade específica de poupar dinheiro para as compras e despesas de Natal (N.T.)

** Nos Estados Unidos, o Natal dá ocasião a breves férias, que duram cerca de quinze dias. (N.T.)

A necessidade do único de ser organizado pode despertar sentimentos de imaturidade no quarto filho. Por exemplo, em geral os únicos gostam de telefones celulares porque eles são mais um instrumento para saber onde estão seus parceiros, e assim organizar seu tempo. Os únicos gostam de saber a hora em que seus parceiros chegarão em casa, e fazem questão de algum aviso prévio caso haja possibilidade de o companheiro chegar mais cedo ou mais tarde. Mas, para o quarto filho, o uso do "controle remoto" lembra os maus tempos em que a mãe sempre tinha de saber onde as crianças estavam. Na cabeça do quarto filho, pessoas maduras não precisam saber onde estão seus parceiros, motivo pelo qual não permitem que seus parceiros façam isso.

O ciclo do único organizando e o quarto filho analisando só pode ser interrompido quando o único afirma seus direitos na relação. Um casal formado por uma única e um quarto filho tinha sido muito feliz em seu casamento, que já durava vinte anos. Eles ainda andavam de mãos dadas. Era fácil ver que tinham aprendido a apreciar um ao outro, apesar de suas diferenças. Quando perguntavam o segredo da felicidade do casal, a mulher respondia: "É difícil viver comigo". Ela queria dizer com isso que freqüentemente insistia em impor sua vontade. Seu marido quarto filho podia analisar o que ela dizia, mas, quando falava com ela de novo sobre o mesmo assunto, ela ainda tinha a mesma posição. A firmeza dava ao marido um senso de segurança; ele não precisava recomeçar suas análises, pois a posição dela continuava a mesma. Essa mulher também ajudava o marido quarto filho a se sentir maduro cada vez que o enfrentava. Únicos que estão continuamente cedendo a quartos filhos podem criar sentimentos de raiva; para os quartos filhos, essa atitude parece condescendente, como se eles estivessem sendo tratados como crianças. Enfrentar os quartos filhos os ajuda a se sentirem adultos, porque esse tipo de conflito se encaixa em sua idéia de que é preciso se esforçar muito.

Quartos filhos podem ser abusivos com seus parceiros também. Uma quarta filha batia em seu namorado único. Um dia, ele lhe disse claramente que não toleraria mais aquele comportamento – e mostrou que falava sério, rompendo com ela. A quarta filha fez de tudo para reatar com ele. Embora ainda fosse uma relação conflituosa, ela nunca mais bateu nele; ele a fez se sentir madura quando se recusou a agüentar seu abuso.

Exercício: Os únicos gostam de tomar decisões rapidamente, de forma a não precisarem mais se preocupar com elas. Os quartos filhos preferem fazê-lo com calma, para não caírem em uma armadilha por causa de uma decisão errada. Se você é um quarto filho, pode ajudar seu parceiro único a aceitar sua necessidade de espera dizendo: "Me deixe pensar sobre o assunto". Seria interessante fazer uma previsão sobre quando você se decidirá – "Me deixe pensar nisso até depois de amanhã", por exemplo – porque o único pode se organizar para um prazo específico.

Se você é um único, pode encorajar seu parceiro quarto filho a estabelecer um tempo para a decisão dizendo: "Pode me ajudar a decidir até sexta?" Transformando o problema em um desafio, você ajuda o quarto filho a se sentir maduro, e, estabelecendo um prazo, você dá ao quarto filho tempo, e a você mesmo, uma programação.

Os mecanismos de enfrentamento do filho único foram desenvolvidos a partir de seus singulares desafios de criança – a necessidade de brincar sozinho sem se sentir solitário, e de minimizar a intrusão alheia. Os primogênitos têm, na infância, um conjunto diferente de desafios e uma série distinta de mecanismos de ajuste, que exploraremos no próximo capítulo.

CAPÍTULO QUATRO

O primogênito

Os primogênitos estão sempre à procura de respeito, e podem ficar terrivelmente infelizes quando não o encontram – em especial quando substituem o amor por respeito, admiração e aprovação.

Esse sentimento é muito comum entre os primogênitos, pois de seu ponto de vista não existe amor no mundo. Para eles, o amor desapareceu quando o novo bebê chegou e roubou toda a afeição dos pais. E, se o amor não existe, então as únicas coisas que o primogênito ainda pode procurar são respeito, admiração e aprovação.

Um primogênito típico vai buscar respeito em casa; no mundo lá fora, eles procuram admiração e aprovação. Respeito significa concordância e obediência dos cônjuges e filhos. A oposição, de modo especial dos parceiros, pode ser intolerável para os primogênitos, porque para eles é como se o amor tivesse falhado. Os primogênitos que se sentem assim podem ser compelidos a fazer, de qualquer maneira, com que seus parceiros pensem como eles. Longe de casa, os primogênitos querem impressionar os outros para ganhar sua admiração e aprovação; é o que acontece quando o primogênito consegue agradar ao patrão, aos colegas ou clientes.

Os primogênitos tendem a perder contato consigo mesmos, e têm dificuldade de estabelecer conexões com outras pessoas. Como geralmente são os filhos mais velhos, os primogênitos não precisavam entender seus irmãos mais novos para atravessar a infância; eles podiam apenas dominá-los, sempre que necessário. Já adultos, os primogênitos ainda costumam ser autoritários para influenciar o comportamento alheio, usando freqüentemente ultimatos como: "Faça como eu digo ou vou embora". Eles podem ter uma surpresa desagradável quando seus companheiros pagam para ver.

Fazer a conexão emocional com um primogênito não é fácil, e manter essa conexão funcionando pode ser mais difícil ainda. Mas ajuda se você entender a visão singular do mundo do primogênito.

Exercício: Imagine-se com três anos. Seus pais trouxeram para casa um novo bebê. Eles explicaram que você ia ter um novo irmãozinho ou irmãzinha, mas mesmo assim você não entendeu muito bem. Tudo que você sabe é que esse bebê, um estranho, agora ganha todas as atenções. Sua mãe faz você se sentar no sofá e lhe diz para esperar enquanto ela faz coisas com o bebê. Ela fica o tempo todo rindo, sorrindo e falando com ele em tatibitate. Ela não fala com você assim; e se você tenta chamar sua atenção, responde severamente, deixando claro que o bebê vem primeiro. Você deve ter feito algo errado para perder o amor de seus pais; senão, por que iam querer um novo bebê? Você decide que não deve se arriscar a perder nem mais um grama do amor dos pais e começa a se comportar como um hóspede em sua própria casa. Tem medo de expressar necessidades, desejos ou objeções que façam seus pais amá-lo ainda menos. Quando você sentir o desconforto e o medo evocados por esse roteiro, terá uma idéia de como se sente um primogênito.

O que eu fiz?

Os primogênitos freqüentemente se sentem culpados, especialmente se pensam que ofenderam alguém. Esses sentimentos datam da época em que o novo bebê chegou à casa do primogênito e lhe roubou as luzes da ribalta. Até que o bebê aparecesse, o primogênito era, na verdade, um filho único, o centro do universo para os pais. Como único, essa criança às vezes se sentia sufocada, porque não havia mais ninguém para desviar a atenção dos pais; era amor demais. Então, sem aviso nenhum, esse estranho ser chegou, e de repente a criança mais velha não estava mais na ribalta – ela foi empurrada para a coxia, enquanto o bebê sugava toda a atenção. Da noite para o dia, praticamente, o primogênito vai de um mundo com amor demais para um mundo sem amor. O primogênito está convencido de que deve ter feito algo terrivelmente errado para que os pais lhe retirassem seu amor.

Imagine o que é reviver essa perda dilacerante várias vezes, a vida inteira. Muitos primogênitos sabem melhor do que ninguém. Primogênitos adultos dificilmente conseguem identificar a fonte de sua culpa, embora possam perceber que freqüentemente se sentem culpados. Se alguém ao seu lado está infeliz, os primogênitos se remoem para saber se causaram essa infelicidade. Quando recusam um pedido, mesmo que seja exagerado, se sentem culpados, pois pensam que os outros não gostarão mais deles. Quando faltam ao trabalho por doença, se sentem culpados, achando que os colegas o desprezarão. E, nas raras ocasiões em que os primogênitos dizem o que pensam ou expressam suas necessidades, se sentem culpados por serem egoístas ou autocomplacentes – qualidades que, na sua opinião, ninguém jamais apreciará ou aprovará.

Para outras ordens de nascimento, pode parecer que os primogênitos se preocupam muito com os outros, e se responsabilizam pelos sentimentos alheios mesmo quando não é necessário. Para os primogênitos, a culpa é um regulador interno que evita que eles ofendam outras pessoas e percam afeição.

Exercício: A maioria das pessoas se sente culpada. quando faz algo errado. Os primogênitos se sentem culpados sem fazer nada de errado. É um hábito que adquiriram em tenra idade, e que pode ser muito difícil de perder. Esse exercício foi planejado para ajudar o primogênito a pensar sobre seus sentimentos de culpa de um ponto de vista mais objetivo.

Coloque três colunas em uma folha de papel. A primeira coluna se chamará "Ações", a segunda "Por quê?" e a terceira "Tem importância?". Na primeira coluna, registre coisas que você fez ou disse e que o fizeram sentir-se culpado – não dobrar a roupa lavada, por exemplo, ou ser mal-educado com um operador de telemarketing que ligou durante o jantar. Na segunda coluna, explique por que você se sentiu culpado pelo que colocou na primeira coluna – alguém reclamou da camisa amassada, por exemplo; ou o operador parecia ofendido. Na terceira coluna, escreva "sim" ou "não", e a razão para escolher "sim" ou "não". Por exemplo, se a pessoa que reclamou da camisa simplesmente vestiu outra, você colocaria "não" na terceira coluna para esse item. Se essa pessoa não tinha outra camisa para vestir, e chegou atrasada porque precisou passar a camisa, sua resposta seria "sim".

Nota: Muitos primogênitos se sentem culpados por colocar "não" na coluna "Tem importância?", pois aprenderam a vida inteira que tudo tem importância, e esse pode ser um hábito difícil de abandonar. Registrar as ações que fazem você se sentir culpado e as razões dessa culpa pode ajudá-lo a identificar causas específicas para os seus sentimentos de culpa. Determinar o que realmente tem importância ajudará você a descobrir quando pode se livrar desses sentimentos. Quanto mais você se exercitar, mais fácil será identificar as vezes nas quais a resposta honesta para "Tem importância?" será "não". Esse é o começo do fim de seu habitual ciclo de culpa.

Você primeiro

Para os primogênitos, não existe algo como amor incondicional e duradouro. Eles se arriscam a perder amor – ou respeito, admiração ou aprovação – toda vez que expressam uma opinião, articulam uma idéia ou declaram uma preferência. Por essa razão, muitas vezes se abstêm dessas coisas. Preferem concordar com as sugestões de outra pessoa, e ficam tão bons nisso que, em várias ocasiões, os primogênitos não têm idéia do que pensam, sentem ou em que acreditam.

Os primogênitos são pesquisadores do pensamento. Eles não sabem o que pensam até descobrir o que a outra pessoa pensa. A frase favorita do primogênito é "Eu não sei"; e muitas vezes eles dizem que não sabem embora saibam muito bem. Em uma conversa, o primogênito olha para a pessoa com quem está falando e provavelmente acene concordando, ou levante a sobrancelha, num convite mudo para que ela continue. Quando o primogênito está falando, é típico que ele evite olhá-lo nos olhos e use um monte de cacoetes – "ahs" e "hums" – entre as frases.

Dentro de um grupo, o primogênito vai se sentar e olhar até descobrir o que a maioria pensa – e então, com toda probabilidade, concordará com ela. Quando líderes, os primogênitos podem perguntar aos outros o que acham, mas em última análise esperam que todos concordem com ele.

Exercício: Escrever pode ser uma forma muito eficiente para ajudar os primogênitos a distinguir seus pensamentos e sentimentos. Os primogênitos tendem a esconder de si mesmos seus pensamentos, como se estivessem correndo extremamente rápido por uma estrada e vissem tudo em volta meio borrado. Escrever é como parar o carro, sair e andar. O ritmo mais lento faz com que você se dê conta de muitas coisas.

Quando você escrever, comece já sabendo que vai destruir imediatamente o que escreveu. Ninguém mais vai ler; portanto, você não precisa se preocupar com o que qualquer pessoa pensará do assunto, estilo ou mesmo da ortografia e da pontuação. O objetivo da escrita é ajudá-lo a explorar *seus* pensamentos – mesmo aqueles que você não quer que ninguém conheça.

Escreva sobre o que vier à sua cabeça, na ordem que vier. E escreva tanto quanto precisar, até que seus pensamentos se tornem claros para você. Faça esse exercício sempre que se sentir confuso ou fora de contato com o que realmente sente.

Vou te dar uma pista

Como os primogênitos se preocupam muito em não ofender os outros, acham virtualmente impossível se manifestar e dizer o que querem. Até uma questão simples como "Quer sair para comer hoje à noite?" pode ser respondida com um "Não sei" do primogênito. Se um primogênito realmente quer sair para comer, ele não vai simplesmente se manifestar. Em vez disso, dará pistas do que quer dizendo coisas como: "Ainda não experimentamos aquele restaurante italiano". Dar pistas concede ao primogênito espaço para voltar atrás em uma opinião ou preferência se a outra pessoa parecer hostil ou indiferente a ela. Suponha que o parceiro do primogênito diga: "Ouvi dizer que esse novo restaurante italiano não é muito bom". O primogênito não se comprometeu de fato a ir a esse restaurante e pode replicar com: "Ah! Então, que tal um chinês?".

Dar pistas também provê ao primogênito possibilidades de negociação. Primogênitos são bons nisso, porque fazem muita questão de não ofender ninguém. Se o companheiro quer bife e o primogênito prefere massa, o primogênito vai sugerir um restaurante que sirva ambos.

As pistas e a resposta normal do primogênito – "Não sei. O que você acha?" – podem ser uma fonte de frustração para as outras personalidades por ordem de nascimento. Cada ordem de nascimento tem seu jeito de tentar agradar ao parceiro, mas o comportamento dos primogênitos faz com que seja difícil para qualquer um agradá-los. Eles não conseguem comunicar o que querem. Os primogênitos precisam praticar muito para aprender a dizer o que pensam e sentem sem serem engolidos pela culpa. E quando, com muito esforço, assimilam essa habilidade, criam uma nova situação que pode exigir certa adaptação das pessoas à sua volta, que não estão acostumadas com opiniões fortes vindas do primogênito.

Exercício: A frase "Eu não sei" costuma fechar as portas da comunicação, porque quando dizemos essas palavras os outros imaginam que não queremos falar sobre o assunto. "Eu não sei" é uma resposta pronta, que não requer tempo para pensar; respostas verdadeiras exigem esse tempo.

Para se conscientizar de quantas vezes você diz "Eu não sei", peça ao seu parceiro para fazer um sinal toda vez que essa frase ocorrer em suas conversas, e responder com: "Eu espero". Você se alertará a pensar sobre o que *sabe*, e formular uma resposta. Afinal, seu parceiro mostrou que está disposto a esperar por ela.

Com a prática, os primogênitos podem aprender a entrar mais em contato com o que pensam ou sentem. Conforme essa conexão vai crescendo, as palavras "Eu não sei" gradualmente desaparecerão do vocabulário do primogênito.

Sonho meu

Os primogênitos estão sempre perseguindo aprovação e admiração, esperando impressionar as pessoas à sua volta. Do alto de seus castelos no ar, os primogênitos avistam grandes feitos e se ofuscam com o delicioso brilho dos cumprimentos. Eles se vêem de volta ao seu lugar de direito, nas luzes da ribalta, no centro das atenções – um modelo para outros admirarem e imitarem.

Esse tipo de fantasia é a forma própria de procrastinação dos primogênitos. Fornece uma válvula de escape para as tarefas aborrecidas do aqui e agora – as quais dão pouca oportunidade para o primogênito ser admirado como deseja. Isso também se origina da experiência dos primeiros dias com o irmãozinho. Nessa época, o primogênito tinha de esperar que os pais tomassem conta do bebê; então seria a vez de o primogênito ganhar alguma atenção. O primogênito aprendeu a esperar ansioso por um futuro agradável e ignorar o presente.

Alguns primogênitos descobrem que canalizar um pouco da sua energia fantasiosa para as tarefas do presente pode ajudá-los, um dia, a realizar suas ambições. São esses primogênitos que sobem a hierarquia corporativa, de representante de vendas a presidente da empresa; ou cuja carreira política começa na Prefeitura e termina no Planalto. Outros continuarão a sonhar e falar sobre seus sonhos. Mas as pessoas próximas acabarão frustradas ao ver que ele não se empenha em ações efetivas para realizá-los.

Exercício: Embora sonhar com futuras realizações seja um traço típico dos primogênitos, todas as ordens de nascimento podem se beneficiar desse exercício de "aqui e agora". Ele tem duas partes. Primeiro, aponte o conceito de "um dia" nas conversas com seu parceiro. Sempre que ele disser: "Algum dia, eu gostaria de..." ou qualquer variante ("Eu sempre quis...", "Será que eu conseguiria..." etc.), o outro responde: "Isso parece legal. Mas do que você gosta *agora*?". Dizer "Eu não sei" não é permitido (veja exercício anterior). Concentre-se no presente e nas coisas agradáveis de sua vida neste momento. Dizer ao seu parceiro do que você gosta na sua vida atual o ajuda a perceber que as boas coisas não estão fora do seu alcance. Essa percepção permite que você as aproveite.

A outra parte do exercício implica falar sobre os sonhos para o futuro. Quando um de vocês mencionar um objetivo ou um sonho, o outro faz perguntas para suscitar o pensamento objetivo – não apenas de castelos no ar. Algumas perguntas favorecem esse tipo de pensamento: "Como você faria para conseguir isso?", "Que tipo de habilidade você precisaria para isso?" e "Será que outras pessoas já fizeram isso?". Falando em termos de "como" e "o que", você se concentra no caminho, e não no destino (o objetivo ou o sonho). Esse processo o ajuda a decidir se o destino vale o esforço necessário para chegar lá – ou se você prefere concentrar sua energia em um destino diferente.

O primogênito e o filho único

Embora a maioria dos primogênitos (não todos) tenha iniciado a vida com uma personalidade por ordem de nascimento de filho único, os primogênitos, na verdade, não entendem os únicos. Por outro lado, o único também não entende o primogênito – o que é indubitavelmente uma vantagem, do ponto de vista do primogênito. Sem essa compreensão, o único não pode destronar o primogênito como fazem as outras ordens de nascimento.

Os primogênitos acham os únicos atraentes porque eles fornecem material para a sua pesquisa de pensamento. O primogênito quer saber o que o único está pensando e sentindo; o único expressa livremente emoções e opiniões, e assim o primogênito obtém as respostas de que precisa para se orientar. Sendo mulher, a primogênita obtém a informação de que precisa para se relacionar com o único nos termos dele.

Mesmo assim, primogênitos e únicos podem encontrar dificuldades, especialmente para se comunicar. Os únicos tendem a projetar os próprios pensamentos e sentimentos nos outros, e isso é particularmente fácil de fazer com os primogênitos, que não estão em contato consigo mesmos e não sabem o que pensam e sentem. Os primogênitos, que não querem ofender ninguém por medo de perder o amor ou a estima dos outros, podem se forçar a ajustar-se à necessidade de ordem e tempo a sós do único. Muitas vezes, os primogênitos agem como hóspedes nas próprias casas, pisando em ovos para não ofender seus parceiros.

Carol, uma primogênita, caiu nessa rotina com Daniel, um único. Carol assimilou o slogan tipicamente único de Daniel – "Me deixe em paz, eu faço tudo sozinho" – e reagiu concentrando-se nos filhos em vez de se relacionar com ele. Não percebia que Daniel só queria ficar algum tempo a sós, e não todo o tempo. Quando ele reclamava que ela passava todo o seu tempo com as crianças, Carol se sentia culpada, mas não sabia como agradar Daniel. Sem saber, Daniel ainda estava mandando sinais de que queria ser deixado em paz para fazer tudo sozinho. Carol, sem nenhuma outra pista para seguir, agia de acordo com esses sinais. Resultado: os dois não tinham uma ligação sólida, e no final seu relacionamento simplesmente murchou por falta de conexão.

Exercício: Os primogênitos estão acostumados a usar superlativos para impressionar os outros. Eles descrevem as coisas como as melhores, as mais fortes, as piores, as mais feias, e assim por diante. Mas os únicos tendem a emprestar seus próprios significados às palavras do primogênito. Então, sem uma descrição mais realista do primogênito, a comunicação entre essas duas ordens de nascimento em pouco tempo fica prejudicada.

Para se contrapor a isso, pratique o uso de descrições em vez de superlativos. Por exemplo, em vez de dizer: "Nunca vi nada igual", você pode dizer: "Isso é diferente do que eu esperava", e então continuar descrevendo como era diferente.

Tente traduzir os superlativos a seguir em descrições reais. Teste a si mesmo perguntando a seu parceiro qual das frases chama mais a atenção dele.

- Eu realmente gosto disso.
- Essa é a coisa mais difícil que já fiz.
- Estou muito impressionado com o que você fez.
- Isso realmente me incomoda.
- Você é o maior.
- Isso é inacreditável.
- Ele é a pessoa mais engraçada que eu conheço.

Acrescente alguns de seus superlativos favoritos a essa lista (pergunte a seu parceiro caso você não tenha certeza de quais palavras mais usa) e traduza-os em descrições.

O primogênito e outros primogênitos

Essa combinação é extraordinariamente rara, por várias razões. Primeiro, dois primogênitos, ao se encontrarem, tentarão impressionar um ao outro, mais do que se conectar. Segundo, cada um procurará no outro pistas sobre o que pensar, dizer e fazer, mas nenhum dos dois dará essas pistas. Terceiro, sendo incapazes de se decifrar ou de se abrir um com o outro, dois primogênitos se entediarão juntos.

Depois de lerem o último parágrafo alguns leitores podem dizer: "Espere um pouco – eu conheço um monte de casais em que os dois são primogênitos". E esses leitores podem estar certos. Normalmente, entretanto, descobrimos que mesmo nos casais em que ambos os parceiros são os filhos mais velhos em suas famílias, só um deles tem a personalidade de primogênito – e, muitas vezes, nenhum dos dois a tem. Lembre-se, a ordem de nascimento psicológica não é necessariamente a cronológica. Primogênitos e outras personalidades por ordem de nascimento podem se desenvolver em qualquer posição cronológica da família; a ordem de nascimento psicológica é determinada por circunstâncias individuais ocorridas durante a infância, e não por circunstâncias do momento de nascimento.

Certamente existem casos de dois primogênitos que ficam juntos – embora sejam raros. Quando tal acontece, eles têm muita dificuldade em se conectar. Os dois querem a aprovação e o respeito do outro, mas nenhum deles se sente bem provendo admiração e respeito. Há um desequilíbrio fundamental, uma falta de reciprocidade entre dois primogênitos. Circunstâncias especiais, como o uso de álcool e drogas, podem mascarar esse desequilíbrio o suficiente para encorajar dois primogênitos a continuar o relacionamento.

Mateus e Denise, ambos primogênitos, começaram seu relacionamento num momento em que usavam drogas. Mateus teve dúvidas até o dia do casamento; seu terapeuta da época inclusive desaconselhou-o a casar-se com Denise, mas mesmo assim ele persistiu. Eles se deram bem pelos primeiros quatro ou cinco anos, mas as coisas foram por água abaixo rapidamente quando começaram a exigir cada vez mais respeito, em vez de tentar fazer o outro se sentir amado. Como não estavam em contato consigo mesmos, não podiam dizer um ao outro o que queriam e do que precisavam. Eles só podiam procurar no outro seus substitutos para o amor – respeito, admiração, aprovação – e nenhum deles era capaz de dar isso. Depois de várias separações e tentativas de reconciliação frustradas, cada um foi para o seu lado.

Exercício: Em vez de procurar respeito um no outro, os primogênitos podem se concentrar em fazer o outro se sentir amado. Uma das formas mais fáceis para consegui-lo é dizer: "Amo você porque é você". Essa frase é mais eficiente especialmente quando seu parceiro realizou algo de especial ou importante – uma promoção no trabalho, um projeto de marcenaria, qualquer coisa que possa conquistar admiração ou aprovação. Ao dizer: "Isso é maravilhoso, querido, mas eu amo você porque é você", deixamos claro para o nosso parceiro que nossos sentimentos por ele não são condicionados por realizações ou aplausos. Afinal, o que o primogênito está realmente procurando é amor incondicional.

O primogênito e o segundo filho

Primogênitos e segundos filhos não são naturalmente atraídos um pelo outro com muita freqüência. O segundo filho, que teve de decifrar o primogênito quando criança, pode adivinhar as tentativas do primogênito para impressionar, e consegue acabar com ele sem pensar duas vezes. O segundo filho torna-se, dessa maneira, um pouco assustador para o primogênito. Quando essas duas ordens de nascimento se juntam, entretanto, o casamento pode ser estável, apesar de meio desconfortável.

O senso de humor seco e sarcástico do segundo filho pode ser muito cansativo para o primogênito. Helena, uma primogênita, levava a sério a ironia do marido, um segundo filho. Achava que ele estava lhe dando uma pista de como agradá-lo. Começou a sentir que não fazia nada bem o suficiente, e por fim parou de ter as próprias opiniões. Pedia desculpas contínuas por tudo que fazia. Samuel, seu marido, ficou frustrado porque não podia ter conversas de igual para igual com Helena, como gostaria; ela literalmente não conseguia se comunicar com ele. Helena afundou na depressão e começou a tomar antidepressivos, que pioraram as coisas, tornando-a apática. Enquanto ela tentava cada vez mais "fazer Samuel feliz", Samuel foi ficando mais e mais frustrado, e no fim eles se divorciaram.

Fred e Nancy conseguiram se aproximar mais do que muitos casais primogênito/segundo filho, mas só depois de anos de infelicidade. Fred, o segundo filho, tinha crescido em uma família em que o pai ficava a maior parte do tempo longe e ele era deixado sozinho; não aprendera a ter relações próximas. Nancy, a primogênita, dava a Fred um senso de segurança. Ela não tinha opiniões fortes, não era exigente, e concordava com tudo que Fred queria. Embora nunca tivessem sentido uma atração forte um pelo outro, namoraram por muito tempo e finalmente se casaram porque esse parecia o caminho natural.

Os problemas no relacionamento brotaram quando Fred começou uma carreira que o mantinha longe de casa por grandes períodos. Ele insistia para que Nancy tivesse vida própria, sugerindo coisas que ela poderia fazer na comunidade ou com seus amigos, em vez de ficar sentada em casa sozinha sentindo falta do marido. Garantia o sustento dela, mas afirmou sua identidade individualista ao escolher seu percurso e Nancy se sentiu rejeitada. Para ela, esse individualismo significava que Fred não precisava dela. Quanto mais infeliz ela ficava, mais o criticava, enquanto ele expressava seus sentimentos indiretamente, tornando-se mais fatalista. Eles só conseguiram compreender um ao outro quando entenderam a ordem de nascimento. Também começaram a ver o lado engraçado das atitudes, dos comportamentos e até dos sentimentos um do outro – o que é muito importante para um relacionamento saudável. Esse entendimento permitiu que eles, pela primeira vez, tivessem uma relação próxima e se sentissem confortáveis um com o outro.

Alguns primogênitos e segundos filhos conseguem criar um vínculo forte, que dura a vida inteira. Cristiane e Washington tinham esse tipo de relacionamento. Cristiane, uma primogênita, era mais independente do que muitos primogênitos, e por isso menos apta a exagerar em suas tentativas de agradá-lo. Washington era menos inclinado à ironia do que muitos segundos filhos, o que fazia que ele fosse menos crítico com Cristiane. Os dois trabalhavam em empregos de que gostavam, concordavam em ter o mesmo estilo de vida e acreditavam na obediência a regras e em ter uma vida frugal. Embora seu relacionamento parecesse às vezes muito formal comparado a outros casamentos, eles gostavam profundamente um do outro e levavam vidas muito satisfatórias a partir dos alicerces estáveis que construíram juntos.

Exercício: As retificações do segundo filho, embora não tenham esse objetivo, são sentidas como desaprovação pelo primogênito – e desaprovação, por sua vez, é sentida como se o amor tivesse fracassado. Os primogênitos podem combater as observações do segundo filho dizendo: "Isso pode não estar perfeito, mas..." Entretanto, muitos segundos filhos podem ser avessos a algo tão direto.

Se você não se sente capaz de se manifestar e dizer que as coisas não precisam ser perfeitas, use o exercício de escrita, explicado alguns parágrafos atrás, para descobrir o que você pensa sobre uma observação ou crítica específica do seu companheiro. Depois, destrua o que escreveu. Se decidir falar com seu parceiro sobre esse assunto em específico, diga: "Andei pensando nisso, e sei que não está perfeito, mas..." A frase permite que seu parceiro saiba, ao mesmo tempo, que a perfeição para você não é indispensável, e que seus comentários são resultado de reflexão, e não de uma reação automática à correção ou crítica.

O primogênito e o terceiro filho

Essa talvez seja a combinação mais compatível para os primogênitos, particularmente se o terceiro filho é do tipo receoso (ou seja, que tem um irmão segundo filho do sexo oposto). O terceiro filho receoso não desafia o primogênito do jeito que outras ordens de nascimento fazem. Ele aprecia o primogênito, o que faz com que ele se sinta bem; respeito, admiração e aprovação parecem fluir naturalmente do terceiro filho receoso, de forma que o primogênito se sente confortável. O terceiro filho se sente seguro com o primogênito porque não há muita pressão para agradar alguém que não sabe o que pensa, quer ou sente.

O grande entrave nesse relacionamento pode ser o tédio, especialmente por parte do primogênito. Viver em uma dieta contínua de respeito, admiração e aprovação é como alimentar-se apenas de doces; depois de algum tempo, você começa a procurar outras coisas. Um primogênito tinha um casamento aparentemente idílico com sua mulher terceira filha, até que encontrou uma mulher mais assertiva. A mudança foi um desafio para esse homem, embora ninguém entendesse o motivo de ele ter deixado sua mulher.

Os primogênitos e os terceiros filhos destemidos (aqueles com irmãos segundos filhos do mesmo sexo) têm vida bem mais dura. O terceiro filho destemido tende a ser mais agressivo e exigente com seu parceiro. Mas os primogênitos podem ser atraídos por esse tipo de terceiro filho, especialmente por causa de seu senso de humor. Jefferson, um primogênito, gostava do humor sarcástico de Margaret quando eles estavam namorando. Pode parecer estranho, mas de certa forma Jefferson sentia que Margaret estava mostrando respeito quando caçoava dele. Ela usava seu senso de humor de terceira filha para mostrar que sabia que Jefferson podia agüentar uma piada. Conforme a relação foi progredindo, Margaret tomou a dianteira, inclusive propondo que se casassem. As decisões eram tomadas de acordo com as preferências dela; Jefferson sentia-se confortável porque podia concordar com ela e não precisava decidir o que ele mesmo queria. O casamento deles foi em frente porque Jefferson sentia-se desafiado pelo jeito agressivo de Margaret, e ela se sentia segura com o jeito conciliador de Jefferson.

Exercício: Os primogênitos procuram realizar tarefas não porque tenham algum entusiasmo por elas, mas simplesmente para terminar logo. A recompensa obtida é um sentimento de alívio quando a tarefa já está feita. Em sua mente, tudo se torna obrigação, e não há nenhuma alegria em completar algo – só o fim da pressão. Quando se trata de fazer coisas por seus parceiros, os primogênitos podem facilmente perder de vista a satisfação que a maioria de nós sente fazendo coisas boas para alguém. Este exercício foi planejado para ajudar o primogênito a descobrir esse sentimento de satisfação.

Junto com seu parceiro, faça uma lista de coisas que vocês fazem um para o outro. Não é uma competição para ver quem faz mais: é um jeito de lembrar a vocês dois das coisas boas que vocês fazem pelo companheiro. Um ajuda o outro a completar a lista, sugerindo coisas para incluir. Lembre-se de que o grosso de sua lista deve ser feito de pequenas coisas – preparar o café de manhã, de forma que seu parceiro possa tomá-lo antes de sair de casa; assegurar-se de que o tanque do carro está cheio; levar para fora o lixo, e assim por diante. Em um relacionamento, essas pequenas coisas que fazemos todos os dias têm muito mais peso que as grandes coisas que fazemos de vez em quando.

Para sentir satisfação genuína nessas pequenas coisas, devemos gostar de fazê-las, e gostar que sejam feitas por nós. Se você ou seu parceiro se sente desconfortável aceitando essas coisas, é bom discutir o desconforto. Essa discussão pode determinar se ele acontece por causa da forma com que as coisas são feitas ou pela dificuldade do beneficiado em aceitar o que é feito por ele.

O primogênito e o quarto filho

Essa é outra combinação um tanto incomum de ordens de nascimento. Os quartos filhos muito maduros são diretos, perspicazes e agressivos demais para que o primogênito se sinta confortável. Quartos filhos imaturos – aqueles cujas personalidades têm um certo toque infantil – têm mais probabilidade de atrair o primogênito, embora tais relacionamentos freqüentemente sejam iniciativa do quarto filho. Nesses casos, o primogênito se sente bem porque o quarto filho é brincalhão e não é agressivo e, sim, receptivo ao primogênito. O primogênito tende a concordar com o quarto filho, e então eles fazem as coisas que esse último quer.

Os problemas podem surgir quando o quarto filho desafia o primogênito. Quando isso acontece, muitas vezes o primogênito fica perdido. Com freqüência, um quarto filho desafia os outros porque quer se sentir adulto, mas para isso é preciso que a outra pessoa se oponha a ele. Os primogênitos não são muito bons em fazer oposição, porque essa atitude poderia ofender a outra pessoa. Quando desafiado pelo quarto filho, o primogênito, que quer agradar, é incapaz de enfrentar o desafio; e fica completamente perdido quando o quarto filho se sente frustrado com sua aquiescência.

Foi o que aconteceu com Jonathan e Brenda. Ela, a quarta filha, tinha tomado a iniciativa durante toda a fase do namoro. Ele, o primogênito, foi cedendo a Brenda porque não sabia o que queria. Ele nunca esteve muito seguro do relacionamento, mas Brenda sim, então ele foi atrás dela. Com esse espírito, acabaram se casando. Durante muitos anos, pareciam se dar bem, mas Brenda foi ficando cada vez mais infeliz, pois não se sentia desafiada por Jonathan. Sem esse desafio, Brenda não podia se sentir madura; e até quando ela o desafiava, ele simplesmente recuava. O relacionamento terminou, por fim, sem nenhuma explosão emocional. Brenda, que tinha começado o casamento, também iniciou o rompimento.

Se Jonathan estivesse mais em contato consigo mesmo e fosse mais capaz de expressar seus pensamentos e sentimentos, Brenda não teria ficado tão infeliz. Se ele tivesse expressado uma opinião mais forte de vez em quando – especialmente se fosse uma opinião oposta à dela – ela poderia se sentir adulta, e Jonathan se sentiria mais seguro na relação.

Exercício: Os primogênitos têm problemas para entender que outras ordens de nascimento – particularmente quartos filhos –

ocasionalmente queiram que eles discordem. Para o quarto filho, a discordância é um desafio que o ajuda a se sentir maduro. Mas para o primogênito discordância é um anátema, afastando dele a aprovação, admiração e respeito. Muitos primogênitos se sentem culpados ao expressar uma opinião que possa ofender seus parceiros.

Quartos filhos (e outras ordens de nascimento) podem se opor a essa tendência do primogênito dizendo: "Você pode não concordar com isso, mas..." Essa frase mostra ao primogênito que ele não é obrigado a concordar, e nem se espera isso dele. Com essa espécie de permissão passiva para discordar, a concordância automática do primogênito é desligada, e ele pode decidir ativamente se está de acordo.

Primogênitos que discordam de seus parceiros quartos filhos podem obter essa permissão passiva para discordar dizendo: "Podemos discordar nisso?" Essa forma de colocar as coisas faz da discordância um desafio – o qual é necessário ao quarto filho – sem transformá-la em confronto.

Para que os primogênitos ouçam a si mesmos, se sintam confortáveis expressando suas opiniões e abram mão de seus sentimentos de culpa, eles têm de aceitar que são dignos de amor por quem são, não pelo que fazem. Os segundos filhos, por outro lado, no fundo acreditam que só merecem amor se atingirem a perfeição – um padrão impossível para qualquer pessoa, mas que mesmo assim o segundo vive perseguindo. No próximo capítulo, examinaremos detalhadamente a personalidade dessa ordem de nascimento.

CAPÍTULO CINCO

O segundo filho

Um comercial da tevê americana mostra dois rapazes de cerca de vinte anos, sentados em um sofá, vendo televisão. "Quer uma geladinha?", o dono da casa pergunta a seu hóspede.

"Quero", diz o amigo, com os olhos grudados na tela da tevê.

O dono da casa passa o braço por cima dele, pega uma corrente e lhe dá um puxão forte. O convidado desaparece debaixo de uma camada de neve.

"Assim está bem gelada para você? ", pergunta o anfitrião, com um sorriso irônico.

"Bem, está gelada", o convidado admite, assoprando a neve do seu lábio superior. "Mas não é Coors Light* ".

Esse poderia ser um típico segundo filho.

Todos nós conhecemos gente como ele – pessoas para as quais "bom" nunca é bom o suficiente. Conseguir um elogio dessas pessoas – um cumprimento de verdade, sem "ses" nem "es" e especialmente sem "mas" é como ganhar uma grande maratona. Acontece, mas não freqüentemente, e não com muitos de nós.

* Coors Light é a sétima marca de cerveja do mundo. (N.E.)

O estranho é que, geralmente, as críticas do segundo filho não escondem más intenções. O ator do comercial de cerveja não estava sendo maldoso; ele estava simplesmente mostrando como uma *geladinha* poderia ser melhor.

O piloto Terry Labonte, que concorre na Nascar (National Association for Stock Car Auto Racing) Nextel Cup, é outro clássico segundo filho. Seus comerciais de 2001, onde ele aparecia no dia das corridas, mostravam suas críticas a tudo – de uma impressão digital no pára-brisa do carro ao focinho azul do tigre da Kellog's no capô de seu Chevrolet Monte Carlo. Assim ele demonstrava a incansável busca da perfeição do segundo filho.

Um homem cuja esposa era segunda filha tinha aprendido a entender sua necessidade de perfeição. Quando o casal decidiu colocar papel de parede em um dos quartos de sua casa, o homem subiu na escada para colar o papel parede acima, enquanto sua mulher, lá embaixo, atuava como equipe auxiliar. O homem estava fazendo um bom trabalho, assegurando-se de que o papel estava reto e comprimindo bolhas de ar enquanto ia afixando-o na parede. Mas da perspectiva da mulher estava fazendo tudo errado. Ela foi ficando cada vez mais agitada e frustrada enquanto o observava, até que finalmente jogou as mãos para o alto e mandou-o sair da escada. Subiu, resmungando críticas sobre a incompetência dos homens em geral e do marido em particular – o qual, de acordo com sua opinião naquele momento, jamais faria nada certo.

Você poderia imaginar que o homem se sentisse ferido, bravo, e se colocasse na defensiva. Mas enquanto sua mulher estava em cima da escada, ajustando o papel nos cantos, o homem virou-se para um amigo que estivera ali durante toda a cena, sorriu e lhe deu uma piscadela. Ele entendia a necessidade de perfeição de sua mulher; sabia que suas críticas vinham dessa necessidade; e conseguia deixá-la desabafar sem levar nada para o lado pessoal.

Se você não entende como essa ordem de nascimento pensa, sente e se comunica, a vida doméstica com seu parceiro segundo filho pode ser, na melhor das hipóteses, um desafio; e na pior, uma verdadeira desgraça.

Exercício: Imagine que você tem dois anos. Acabou de descobrir que pode criar linhas coloridas no papel usando lápis de cera. A descoberta é tão emocionante que você mal pode esperar para mostrar a sua mãe. Seu irmão mais velho está desenhando também; observa você enquanto cria o próprio desenho – uma imagem, não apenas uma coleção de linhas coloridas. No momento exato em que você vai mostrar seu desenho a sua mãe, seu irmão entra na frente e mostra o dele. Sua mãe o cumprimenta, e então vê o seu desenho e também o elogia. Mas a diferença entre seu desenho e o de seu irmão é óbvia, portanto você não acredita que o elogio que sua mãe lhe fez seja genuíno. Você explode, envergonhado de sua patética tentativa de desenhar e resolve que algum dia fará algo perfeito.

Quando você puder sentir o devastador sentimento de inadequação dessa criança, estará experimentando o que sente um segundo filho.

Bom, melhor, e ainda melhor

A busca da perfeição, característica do segundo filho, se manifesta de muitas formas. Ela influencia seus padrões de pensamento: os segundos filhos pensam por avaliação, procurando armadilhas que possam interferir em sua busca pela perfeição. Também influencia suas escolhas: os segundos filhos são mais atraídos por projetos do que por objetivos. Projetos são específicos e claramente definidos, e dependem de um passo-a-passo; portanto, a perfeição aí é possível. Os objetivos são mais tênues; pode haver muitas formas de atingir um objetivo, portanto o *jeito certo* – ou seja, a perfeição – é inatingível.

Os segundos filhos esperam perfeição dos outros. Eles oferecem correções em vez de cumprimentos; mostram como algo pode ser feito melhor, dizendo: "Você precisa..." Em casos extremos, os segundos filhos olham para as pessoas amadas não como seres humanos individuais, e sim como projetos a aperfeiçoar.

Eles estão sempre atrás da perfeição em alguma área – mas não em todas. No trabalho, a mesa do segundo filho pode ser quase estéril em sua limpeza e organização, mas sua cozinha em casa pode parecer um cenário dos últimos dias de Pompéia. Uma segunda filha que é aspirante a música dá um pulo na cadeira sempre que toca algo errado. Uma verdadeira Chopin ao piano, ela nem presta atenção ao botão que está faltando em sua blusa.

A busca da perfeição faz com que seja difícil para o segundo filho fazer ou receber elogios. Quando ele era criança, seu irmão mais velho normalmente era quem ganhava elogios, e isso feria seus sentimentos. Como adulto, o segundo filho não quer ferir ninguém dessa forma, então simplesmente evita fazer elogios. Em vez disso, é mais provável que ele aponte erros, agindo na suposição de que outras pessoas compartilham a sua necessidade de *fazer melhor*. A menos que alguém chame a sua atenção, os segundos filhos normalmente não percebem que suas contínuas correções podem despertar emoções negativas nos outros.

Por outro lado, quando recebe um cumprimento de alguém, um segundo filho muitas vezes fica sem graça, e como resultado pode se sentir obrigado a apontar falhas que o outro não percebeu. Se você cumprimenta um segundo pelo seu terno, ou pelo relatório que escreveu, ele dirá que o terno foi comprado em liquidação, e que não teve tempo de fazer o relatório como queria. Segundos filhos precisam praticar muito para aprender a aceitar cumprimentos com elegância. Uma mulher que tinha consciência da sua tendência a rejeitar elogios costumava dizer: "Obrigada" e logo em seguida morder a parte interna do lábio inferior, para se impedir de dizer alguma coisa a mais. Mesmo assim, essa mulher ainda se sente genuinamente surpresa quando recebe um cumprimento, e lá no fundo acredita que as pessoas que a elogiam são facilmente impressionáveis.

Exercício: Para os segundos filhos, é natural procurar falhas em quase tudo. Para procurar por coisas boas – em vez de erradas –, diga três coisas positivas sobre qualquer coisa antes que você possa dizer uma negativa, ou fazer uma crítica. Imponha essa regra em sua casa e peça a seu parceiro para ajudá-lo a aplicá-la. Exigirá um pouco de prática, mas depois de algum tempo você perceberá que aquela sua parte crítica (ou a do seu parceiro) que procura defeitos em tudo não será mais tão contundente.

Qualquer coisa que você puder fazer....

A procura da perfeição é uma mola interna que, quando acionada, pode tornar o segundo filho altamente competitivo, ansioso para provar sua capacidade de fazer bem as coisas ou de fazer melhor do que outra pessoa. Quando isso não acontece, os segundos filhos podem sofrer um doloroso sentimento de inadequação.

Catherine era uma clássica segunda filha competitiva. Ela foi oradora de sua turma e líder de classe no colegial; dirigiu muitas entidades estudantis e também se tornou a melhor debatedora de seu estado*. Conheceu o marido em um debate; ele era o melhor debatedor do estado na categoria masculina. Depois do casamento, Catherine começou uma carreira em bancos; a atividade repleta de detalhes atraiu sua personalidade de segunda filha. Como ela tinha sido muito ativa no colegial, comparecia a todas as reuniões de classe até se divorciar do marido. Embora tenha se casado de novo dois anos depois, e se dado muito bem na carreira, Catherine deixou de freqüentar qualquer reunião de classe, a partir do divórcio. O fim de seu primeiro casamento não é aceitável para sua natureza competitiva de segunda filha, e ela não pode encarar seus ex-colegas a reboque desse fracasso.

Às vezes, o sentimento de inadequação do segundo filho paradoxalmente produz medo do sucesso. Quando segundos filhos fazem algo bem, podem sentir que devem o sucesso à sorte, mais do que à habilidade, e então não ficam confiantes na sua capacidade de fazer aquilo bem outra vez. Eles aprendem a evitar situações em que os outros podem esperar demais deles; por exemplo, quando alguém oferece uma promoção no trabalho, uma segunda filha pode recusá-la por temer falhar ao subir de escalão.

Thomas, um segundo filho, tornou a vida da família muito difícil por causa de seu medo do sucesso. Ele trabalhava em uma pequena empresa de processamento de alimentos, e era muito bom em seu trabalho – tão bom que seus superiores queriam colocá-lo em uma posição de gerência. Em vez de aceitar a promoção, Thomas decidiu que na verdade desejava trabalhar com

---

* Os torneios de debates são uma tradição americana. Neles, os estudantes da *high-school* (ensino médio ou colegial brasileiro) têm tempo limitado para defender determinados pontos de vista e convencer a audiência. Existe inclusive um ranking de melhores debatedores, como acontece em qualquer esporte. (N.T.)

artigos esportivos, e não com comida. Pediu demissão da fábrica e arranjou um emprego com um distribuidor de artigos esportivos. Começou de baixo, pegando pedidos nas lojas. Mais uma vez, fez um trabalho muito bom, e o distribuidor queria que ele dirigisse o departamento de Expedição. Mas Thomas, nessa altura, resolveu que queria um trabalho fora de escritórios, e então largou o emprego e arranjou outro, fazendo manutenção para uma companhia elétrica. Naturalmente, ali também se destacou, e estava quase sendo promovido a supervisor quando descobriu que seu grande sonho era viver perto das montanhas. Então ele saiu do emprego, levou sua família para o Oeste e arrumou novo emprego, em outro campo, novamente começando de baixo.

Exercício: Embora os segundos filhos muitas vezes se sintam inadequados, não costumam admitir isso – pois inadequação, na verdade, é imperfeição. Mas esses sentimentos de inadequação podem ser uma vantagem para o segundo filho se forem abordados da forma correta.

A objeção mais comum que os segundos filhos levantam quando se sentem inadequados é: "Não sei como fazer isso". Ao transformar essa objeção em uma pergunta – "Como faço isso?" – a fonte de inadequação se transforma em projeto, e portanto algo que o segundo filho pode realizar. Os parceiros podem ajudar seus companheiros segundos filhos a enfrentar sua inadequação transformando objeções em perguntas, e expressando confiança na sua capacidade.

Conte mais

Os segundos filhos se concentram nos detalhes, já que neles está a perfeição – ou a falta dela. Eles lêem as letras miúdas em tudo:

apólices de seguro, pedidos de empréstimo, informações nutricionais nos alimentos. Deixam os vendedores loucos, porque sempre lêem o contrato inteiro antes de assiná-lo.

Verifique de novo o parágrafo de Terry Labonte. O fato de que nós, autores, lhe contamos que ele dirige um Chevrolet Monte Carlo revela que pelo menos um de nós é um segundo filho; outras personalidades por ordem de nascimento se contentariam com uma palavra simples como carro, mas um segundo filho nunca ficaria satisfeito com um termo tão genérico.

Essa ânsia por detalhes causou problemas no casamento de Marcos e Susana. Susana era uma segunda filha e queria saber tudo sobre o que Marcos fizera durante o dia. Marcos ficava satisfeito com os fatos básicos – foi um bom dia, ou não foi um bom dia – e não via nenhuma necessidade de entrar em detalhes. Na verdade, como ele trabalhava em uma fábrica, achava que de qualquer forma não tinha muitos detalhes a contar.

Susana sentia que a recusa de Marcos em dar detalhes significava que ele não gostava dela a ponto de lhe contar o que estava acontecendo em sua vida profissional. Para ela, era uma grande falha na comunicação, e a fazia cada vez mais infeliz.

Marcos não entendia os sentimentos de Susana, mas quando ela lhe contou que precisava de detalhes, resolveu satisfazê-la. Começou tomando notas mentais sobre coisas que aconteciam no trabalho, coisas que ele ouvia de seus colegas, e tudo que poderia interessar Susana quando ele voltasse para casa. Revisava as notas quando ia para casa; assim estaria pronto para conversar com a esposa quando entrasse pela porta.

Quando ela lhe perguntava como tinha sido seu dia, ele ainda começava com os fatos básicos – fora bom ou não. Mas depois lhe contava as coisas que tinha ouvido e o que tinha acontecido. Susana absorvia com a avidez de um gato diante de um pires de leite. As linhas de comunicação foram abertas de novo. Susana sentiu que Marcos queria incluí-la em todos os aspectos de sua vida, e com isso, desde então, o relacionamento ficou mais forte.

Exercício: Detalhes são sempre importantes para os segundos filhos, mas nem sempre relevantes. Você pode satisfazer a necessidade de detalhes de seu parceiro segundo filho seguindo o exemplo de Marcos e tomando notas sobre seu dia para contar quando chegar em casa. Você também pode ajudar seu parceiro segundo filho a colocar as coisas em real perspectiva dizendo: "Agora eu quero que você fale só por alto". Dessa maneira o segundo filho muda o foco de sua energia mental e continua em sintonia com você; ao mesmo tempo, assegura-o de que haverá tempo para os detalhes mais tarde.

A Síndrome de Spock

Você se lembra do doutor Spock, da série original *Jornada nas Estrelas*? Ele assumiu o lado lógico de sua herança vulcana e usou essa lógica para controlar excessivamente seu lado humano e sensível. De vez em quando, Spock baixava a guarda e mostrava emoção, mas esses episódios eram raros e ele sempre recobrava seu controle lógico rapidamente.

Se não fosse um extraterrestre, Spock seria um segundo filho. Segundos filhos não gostam muito de sentimentos; a lógica é tão mais limpa, tão mais segura. Desde cedo aprenderam que sentimentos podem ferir, e então passaram a suprimi-los. Eles são tão bons nisso que às vezes não conseguem nem saber o que sentem, que dirá explicar seus sentimentos para outras pessoas. Como suprimem suas emoções, os segundos filhos são a ordem de nascimento com mais probabilidade de começar, de repente, a soluçar incontrolavelmente – e muitas vezes sem saber nem mesmo por quê. É que a escalada das emoções nunca teve nenhuma válvula de escape; como o vapor e sob pressão, só pode ser contida por tempo limitado antes que algo exploda.

Por outro lado, os segundos filhos são altamente sensíveis aos sentimentos dos outros – especialmente tensão e raiva. Quando os segundos filhos captam essas emoções, usam sua considerável habilidade pacificadora para diluir a tensão e reequilibrar tudo.

Isso não significa que os segundos filhos estejam sempre pensando em como as outras pessoas se sentem; na verdade não estão, simplesmente porque preferem não pensar em sentimento nenhum. Mas, com essa sensibilidade, os segundos filhos podem mostrar grande empatia e compreensão quando se lembram de pensar no que os outros sentem. Por exemplo, uma mulher que estava tendo problemas emocionais não recebeu muita compaixão de seu gerente – um segundo filho – quando esses problemas afetaram seu trabalho. O gerente, frustrado pelo desempenho ruim da funcionária (e aparente falta de interesse em melhorar), fez sua subordinada passar maus bocados até que outro gerente lhe chamasse a atenção dizendo: "Pense em como essa mulher se sente". Enquanto a história da mulher se desenrolava, lágrimas vieram aos olhos do gerente segundo filho; ele foi capaz de estabelecer empatia e demonstrou a compaixão de que essa mulher precisava para ajudá-la em seus problemas profissionais.

Exercício: A maioria dos segundos filhos acha muito mais fácil escrever do que falar sobre seus sentimentos. Para entrar em contato com o que sente, reserve pelo menos uma hora semanal para escrever sobre você mesmo. Você pode fazer um diário, ou só encher uma página em um caderno de notas ou na tela do computador. Escreva sobre o que aconteceu com você na última semana, como esses acontecimentos o fizeram sentir-se e como acha que outras pessoas se sentiram. Esse é um tempo só seu para dar vazão a suas emoções; portanto, não se reprima. Continue escrevendo até quebrar as camadas da lógica, e então explore os sentimentos encontrados por baixo delas.

Esses escritos não precisam ser mostrados a ninguém, a menos que você queira. Se tiver dificuldade em expressar amor por seu parceiro, tente colocar seus sentimentos em um bilhete ou cartão para que ele leia – não é preciso esperar uma ocasião especial. Você pode se surpreender ao ver como isso o agrada!

O segundo filho e o único

Essas duas ordens de nascimento são atraídas uma pela outra imediatamente. O segundo filho aprecia a expressão emocional do único e sua atenção aos detalhes, e gosta especialmente dos conselhos que o único se sente à vontade para dar. Um conselho, afinal, é uma sugestão de como melhorar alguma coisa, e o lado perfeccionista do segundo filho adora isso.

O único gosta da confiabilidade do segundo; ela permite que ele continue com os planos organizados, aspecto tão importante em sua vida. A falta de expressão emocional do segundo filho também agrada ao único, pois ele pode imaginar como seu parceiro se sente e não precisa lidar com sentimentos de verdade. E, como as habilidades pacificadoras do segundo muitas vezes se traduzem em deixar as pessoas em paz, o único pode ter quanta privacidade quiser.

Claro que alguns desses traços, embora superficialmente complementem um ao outro, podem levar a sérios mal-entendidos.

Gabriel, um segundo filho, e Sofia, uma única, encontraram-se logo depois de terminar o colegial, e se apaixonaram quase imediatamente. Em seu primeiro encontro, eles foram comer fora. Gabriel perguntou a Sofia o que ela queria e pediu por ela, que, toda animada, o divertiu contando casos. Ele adorou o jeito com que Sofia contava histórias: relatando todos os detalhes, contando a história na ordem em que acontecera e pondo o clímax no final, onde ele deveria estar. Encenava drama e comédia com suas expressões, gestos, voz e olhar. Sofia adorou a autodisciplina e ambição de Gabriel. Ele tinha se destacado nos esportes no colegial e também tivera boas notas. Trabalhou durante esse período, e ganhou o suficiente para comprar um carro, que mantinha imaculado. Eles construíram vínculos durante o namoro, participando juntos de várias atividades, e finalmente se casaram. Eram um casal feliz e unido.

Então um dia, no jantar, Gabriel disse que a comida estava boa, mas as ervilhas, um pouco frias. Sofia desatou a chorar e correu para o quarto, deixando Gabriel sentado à mesa, assombrado.

Gabriel não tivera a intenção de ferir os sentimentos de Sofia. Como segundo filho, era natural para ele oferecer sugestões de aperfeiçoamento. Não fazia nada disso por mal. Depois do episódio das ervilhas frias, Gabriel ativou seu lado pacificador e começou a guardar suas sugestões para si mesmo; mas seu silêncio não melhorou as coisas. Sofia ainda não gostava do jeito com que Gabriel se relacionava com ela.

Levou algum tempo para Gabriel mudar seus padrões de pensamento e imaginar como sua mulher se sentia. Foi difícil para ele, porque, como segundo filho, preferia a lógica à emoção; e como não estava realmente em contato com os próprios sentimentos, era difícil pensar nos dela. Com esforço, finalmente conseguiu se relacionar emocionalmente melhor com Sofia. Gabriel melhorou principalmente depois que ele e a esposa começaram a ensinar uma classe de escola dominical de crianças – isso lhe ensinou bastante a lidar com sentimentos.

Gabriel e Sofia se esforçaram para resolver seus problemas e tornaram sua relação ainda mais forte. Ó desenlace para Ed e Elaine não foi tão feliz.

Nesse caso, Ed era o único e Elaine, a segunda filha. Como muitos casais único/segundo filho, eles se apaixonaram na noite em que se encontraram e foram morar juntos logo depois. Infelizmente, quando o fizeram, pararam de sair, inibindo assim a formação de vínculos que começara em seu primeiro encontro.

Elaine o amava muito e expressava seu amor tentando ajudá-lo a chegar à perfeição. Quando ele penteava o cabelo, ela mostrava como podia ficar mais assentado. Quando sua camisa não combinava com as calças, ela sugeria uma camisa diferente. Quando ele falava sobre seu trabalho, ela lhe dizia como fazê-lo melhor.

Depois de algum tempo, essa crítica construtiva começou a cansar Ed, e suas reações se tornaram cada vez mais negativas. Sempre que Elaine fazia uma sugestão, Ed se retraía, ficava bravo, e depois fazia um pequeno escândalo. "Será que você nunca vai dizer alguma coisa boa do que faço?", perguntava. De sua perspectiva de único, Ed começou a ver as sugestões de Elaine como uma intolerável intromissão.

Ela não entendia as reações de Ed; sentia que ele não estava sendo razoável. Ela só estava ajudando-o a melhorar – o que era uma coisa boa e desejável – e ele não apreciava seus esforços. Entretanto, com a sensibilidade de segunda filha a emoções negativas, Elaine, como Gabriel, parou de fazer críticas construtivas. Ela não fazia elogios; em vez disso, ficava quieta. E, quando Ed a elogiava, ela, como sempre, desviava-o, mostrando falhas que Ed não havia mencionado. Assim, ela não só causava a Ed o sentimento de que nada do que fazia era bom o suficiente para ela, como também o fazia sentir que não valorizava sua opinião cada vez que recusava um elogio.

Infelizmente, Elaine e Ed não conseguiram mudar seus padrões de pensamento para melhorar o relacionamento e acabaram se separando.

Exercício: Quando um segundo filho oferece reparos ou críticas, a intenção é a de um gesto amoroso, para ajudar a outra pessoa na busca da perfeição. O filho único, entretanto, sente esses reparos como pressão; ele quer fazer as coisas certo e fica ansioso e frustrado quando alguém lhe diz que está fazendo algo errado.

Parceiros únicos e segundos filhos podem evitar feridas emocionais causadas pelas observações do segundo, tratando-as de forma um pouquinho mais formal. Os únicos podem pedir a opinião do segundo filho perguntando: "O que você pensa que é melhor?" Os segundos podem pedir permissão para dar suas opiniões perguntando: "Posso fazer uma sugestão?" Esse ritual transforma a correção do segundo filho em um exercício de cooperação – satisfazendo a necessidade de aperfeiçoamento do segundo filho sem fazer o único sentir que está sendo atacado.

O segundo filho e o primogênito

Quando primogênitos e segundos filhos se juntam, o resultado pode ser uma relação duradoura, mas nem sempre próxima. Relações próximas exigem conexão emocional, e nem primogênitos nem segundos filhos são bons com emoções. O primogênito quer saber o que os outros sentem, mas tem pouca consciência de seus sentimentos; enquanto o segundo filho mantém os sentimentos trancados nos mais profundos recessos de seu coração.

Essa qualidade pode atrair essas duas ordens de nascimento. Do ponto de vista do segundo filho, um relacionamento com um primogênito é seguro principalmente porque não há nenhuma pressão emocional. Mas a falta de conexão emocional pode exacerbar o estresse e a infelicidade quando surgem problemas no casamento.

Foi o que aconteceu com Michael, um primogênito, e Ana, uma segunda filha, que tinham uma fazenda. Quando o rendimento das pequenas fazendas começou a decair, os dois arranjaram empregos fora dali para suplementar sua renda agrícola. Os pais de Michael também tinham uma fazenda nas proximidades, e Michael tentou ajudá-los da melhor forma possível.

Ana, com seu padrão de pensamento baseado em avaliações, conseguia ver os obstáculos na medida em que estava continuamente analisando a situação. Mas, quando oferecia seus *insights* a Michael, ele se sentia culpado por não ter pensado neles. Para evitar as correções de Ana, começou a esconder coisas dela, incluindo qualquer compra maior. Quando Ana descobriu isso, sentiu-se ferida, porque ele tinha tomado essas decisões sem consultá-la. E então, é claro, Michael se sentiu duplamente culpado – primeiro por não pensar no impacto de suas decisões, e segundo por provocar críticas de Ana.

Michael era muito leal a seus pais; trabalhava com eles diariamente e sentia que mereciam essa ajuda porque o tinham criado. Ana também tinha muita lealdade à família, mas a sua era dirigida a Michael e aos filhos; ela sentia que Michael a preteria e às crianças em favor dos pais dele. Ana e Michael não se relacionavam bem o suficiente para resolver esse conflito. Michael ficava na defensiva quando Ana tocava no assunto; ele mudava a conversa ou, se isso falhasse, começava a reclamar de Ana – qualquer coisa para evitar o tremendo sentimento de culpa que o dominava como resultado das avaliações e críticas de Ana.

Por conta das dificuldades emocionais de Ana e Michael, nenhum dos dois consegue entender o outro de verdade. Suas ordens de nascimento não se prestam a esse entendimento; e, em uma situação complicada pelo estresse externo, a combinação de primogênito e segundo filho não proporciona um relacionamento harmonioso. A menos que aprendam a se comunicar emocionalmente um com o outro, Ana e Michael provavelmente terminarão o casamento devido a diferenças irreconciliáveis.

Mas nem todos os relacionamentos primogênito/segundo filho estão condenados ao fracasso. Às vezes, é necessário apenas um pouco mais de trabalho e autoconsciência para construir uma conexão emocional que possa resistir aos problemas e tribulações do casamento.

Arthur, um segundo filho, tem um casamento infeliz com Sofia, sua mulher segunda filha, e está apenas começando o processo – às vezes doloroso – de se conhecer. Esse é o segundo matrimônio para ambos; ela tem quatro filhos do primeiro casamento, e eles são a grande fonte de problemas para Arthur e Sofia.

Sofia, como primogênita, exigia respeito das crianças na base do grito. Como essa atitude não funcionava, Arthur, sensível à raiva e buscando a paz como todo segundo filho, tentava ajudar Sofia fazendo o que ele sabia – impondo regras e punindo as crianças, tirando seus brinquedos e privilégios. Sofia não gostava da imposição de regras de Arthur e desabafava sua raiva nele.

Já que seus esforços pacificadores estavam falhando, Arthur sugeriu que Sofia pedisse o divórcio. Ele mesmo não queria um divórcio; se quisesse, teria pedido. Sua sugestão era um estratagema para obrigar Sofia a prestar atenção às suas necessidades e tomar seus sentimentos a sério. Não funcionou, mas ele conseguiu convencer Sofia a fazer terapia com ele.

Na terapia, Arthur consegue dar uma descrição completa – na verdade uma avaliação – de sua situação em casa. Ele relaciona todos os detalhes, e por isso mesmo tem confiança nas conclusões que tirou. A única coisa da qual não consegue falar é dos sentimentos das pessoas em casa. Como segundo filho, ele reprime muito bem suas emoções para não lidar com elas, e não tem nenhuma consciência dos sentimentos de sua mulher e dos filhos dela. Por causa desse importante ponto cego, não consegue achar uma solução para seus problemas domésticos.

Arthur está tentando melhorar sua capacidade de entender e lidar com emoções, e seus esforços devem ser elogiados, já que lidar com emoções é tão difícil para os segundos filhos. Vai exigir algum tempo e perseverança, mas imaginar como Sofia e seus filhos se sentem ajudará Arthur a se familiarizar com os próprios sentimentos, e lhe abrirá novas possibilidades para enfrentar os desafios domésticos.

Exercício: Primogênitos e segundos filhos podem entrar em contato com seus sentimentos anotando pensamentos e idéias. Escrever do ponto de vista de outra pessoa também ajuda a compreender como os outros se sentem. Para isso, comece com o que você aprendeu sobre a personalidade por ordem de nascimento do seu parceiro. Por exemplo, se seu parceiro é um primogênito, você pode começar com o que sabe sobre a visão de mundo de um primogênito – onde não existe amor incondicional, as coisas boas estão fora de alcance, e assim por diante. Se seu parceiro é um segundo filho, comece com a visão de mundo do segundo filho – que não existe amor a menos que você seja perfeito, que nada que você faça é bom o suficiente, e assim por diante. Depois escreva sobre um incidente específico, usando as palavras, gestos e expressões faciais de seu parceiro para ajudá-lo a interpretar esse incidente do ponto de vista dele.

Quando você tiver terminado, discuta esses novos *insights* com seu parceiro. Você não precisa contar a ele o que escreveu, mas lhe diga o que você acredita que ele estava pensando e sentindo durante aquele incidente. Esteja aberto à possibilidade de que sua interpretação não seja muito acurada, e peça a seu parceiro para corrigi-lo se você tiver interpretado alguma coisa errado. Vai parecer esquisito e desconfortável no começo, mas à medida que você for se acostumando a se colocar no lugar do outro, o seu entendimento mútuo – e a capacidade de vocês se conectarem em nível emocional – aumentarão mais do que você jamais imaginou.

O segundo filho e outros segundos filhos

Se a essa altura você chegou à conclusão de que o primogênito e o segundo filho têm dificuldades para estabelecer uma conexão emocional, saiba que a dificuldade que dois segundos filhos têm um com o outro é muito maior. Os segundos filhos podem pensar parecido, dividir os mesmos valores e praticar as mesmas virtudes de autodisciplina, sacrifício e pensamento lógico; mas eles não expressam a emoção que normalmente leva duas pessoas a se juntarem. Eles simplesmente não são atraídos um pelo outro.

A exceção a essa regra geral é quando existe abuso de substâncias entorpecentes. O uso de álcool ou drogas libera os segundos filhos de suas inibições emocionais, e eles se sentem livres para fazer a conexão que normalmente seria impossível. Da mesma forma, um evento traumático experimentado em conjunto lhes permite ver o lado emocional um do outro, e isso pode unir dois segundos filhos.

Roger e Laura se conheceram usando drogas. Enquanto se drogavam juntos, descobriram uma conexão emocional forte o suficiente para que continuassem namorando. Quando decidiram se casar, sua autodisciplina entrou em ação e eles pararam de usar drogas.

Sem o uso de drogas para ajudá-los a comunicar seus sentimentos, o relacionamento de Laura e Roger mudou. Não se baseava mais em emoções, e sim em lógica, regras e autodisciplina. Eles não brigavam, exceto por brincadeira – discutindo somente para ver quem ganharia a discussão. Cada um deles, encorajado pelo outro, se tornou mais perfeccionista ainda. Dividiam as tarefas domésticas: Laura tomava conta do interior da casa e Roger ficou responsável pelo jardim e pelo lado de fora. Claro que os dois davam sugestões um ao outro, e aceitavam prontamente a contribuição mútua. Nada estava fora do lugar; a casa deles era bonita por dentro e por fora.

Então veio outra grande mudança: eles tiveram filhos. Duas garotas. Enquanto eram bebês, as meninas precisavam de atenção, afeição e interação positiva. Laura e Roger forneceram tudo em ampla medida – na verdade, em medida ampla demais.

Com a aversão dos segundos filhos por cumprimentos "injustos", Laura e Roger elogiavam tudo que suas filhas faziam, fosse ou não autorizado. Os resultados foram dramáticos, e completamente opostos àquilo que esperavam.

A garota mais velha achava que os contínuos elogios significavam que não havia limites, regras ou conseqüências para ela. Quando adolescente, ela e uma amiga pegaram um ônibus e atravessaram meio país, sem se incomodar em avisar ninguém sobre o que estavam fazendo. Você pode achar que Laura e Roger não se obrigariam a elogiar essa atitude..., mas eles conseguiram achar um jeito de cumprimentar a filha pela escapada. A condescendência levou a comportamentos ainda mais extremos; depois de se formar no ensino médio, a filha se mudou, sempre por capricho, para vários lugares do país. Também se envolveu com drogas e de forma geral nunca teve senso de estabilidade.

O efeito dos cumprimentos contínuos à filha mais nova foi diferente. Para ela, os elogios eram algo que tinha de alcançar, troféus que devia ganhar. Mas, como recebia elogios por tudo o que fazia, começou a estabelecer objetivos impossíveis para si mesma, e esses objetivos acabaram levando-a a uma depressão profunda. Ela teve várias doenças psicossomáticas, não pôde construir a autoconfiança de que precisava para que sua vida funcionasse como queria e se sentia completamente incapaz de se comprometer em um relacionamento mais forte. O elogio constante de seus pais – o mesmo que encorajava sua irmã – a derrotava.

De qualquer forma, não teria sido fácil para Roger e Laura evitarem as conseqüências de seu comportamento um com o outro e com suas filhas. Sem entender seus sentimentos e os dos outros, eles não conseguiram dar a si mesmos nem às filhas um ambiente emocional rico e equilibrado.

Exercício: Muitos segundos filhos têm uma atitude *tudo ou nada* em relação a críticas e elogios. Mas os elogios constantes podem ter conseqüências tão devastadoras quanto as correções contínuas. Para encontrar um bom meio-termo – fazer elogios quando são merecidos e oferecer crítica construtiva quando ela é justificada –, os segundos filhos podem começar separando o processo do resultado final nas coisas que seus parceiros fazem. Se seu parceiro está pensando em voltar à escola para se candidatar a uma promoção no trabalho, o processo exigirá que ele assista aulas; e o resultado final será a promoção. As duas coisas lhe parecem meritórias e louváveis, e você pode cumprimentar seu parceiro por sua visão e disposição em se esforçar pelo que quer. Mas, se ele está infeliz em seu emprego, você pode fazer uma crítica construtiva sobre o resultado final. Voltar à escola – o processo – ainda merece cumprimentos, mas você pode sugerir outra área de estudos, que permitiria que seu parceiro entrasse em um campo que ele apreciasse mais.

Essa atitude de equilibrar elogios e críticas fará com que seu parceiro se sinta melhor, porque seus elogios serão mais convictos e suas críticas virão do amor que você sente por ele.

O segundo filho e o terceiro filho

Quando o segundo filho e o terceiro filho se juntam, geralmente o segundo é mulher e o terceiro, homem – dificilmente o contrário. A explicação vem do fato de os homens, em geral, darem prioridade a suas carreiras e objetivos, e as mulheres, aos seus relacionamentos. Em situações onde os gêneros se invertem, o segundo filho não encontraria nada muito atraente na terceira filha. Ele é autodisciplinado; ela é um espírito livre. Ele privilegia o pensamento lógico; ela adapta o pensamento às emoções. Ele é detalhista e ambiciona a perfeição; ela acha os detalhes chatos e ambiciona no máximo uma qualidade razoável. Alguns segundos filhos podem achar as terceiras filhas estimulantes, mas, com maior freqüência, elas os deixam enraivados.

Quando as ordens de nascimento se invertem, tudo muda. Segundas filhas podem enxergar muitas possibilidades nos relacionamentos com terceiros filhos. A compaixão do terceiro, seu desejo de agradar, sua atenção às necessidades dos outros e seus heróicos esforços para salvá-los – literal ou figurativamente – são traços que atraem a segunda filha.

O instinto natural do terceiro filho para salvar os outros e melhorar as coisas pode causar um estrago quando aliado aos sentimentos de inadequação do segundo filho. Foi isso que aconteceu com Elvis e Patrícia. Patrícia, uma segunda filha, cresceu maltratada pelo pai e negligenciada pela mãe. Elvis, um terceiro filho, era o super-salvador que a livrou de todas as coisas horríveis que aconteciam na casa de seus pais.

Durante os quinze anos de seu casamento, Elvis continuou funcionando como salvador. Todos os pequenos erros que Patrícia cometia, todas as excentricidades de sua complexa personalidade eram motivo para que ele a socorresse. E, a cada vez que Elvis corria para salvá-la, Patrícia afundava mais na depressão, porque se sentia dolorosamente inadequada para enfrentar as mínimas coisas. Esse constante salvamento também levantou uma barreira entre os dois. Por causa de seus papéis como salvador e vítima, Elvis nunca se aproximava de Patrícia como companheiro; estava sempre "acima" dela, e Patrícia nunca conseguia se conectar com ele. O relacionamento foi se deteriorando até que finalmente Elvis decidiu partir. Mas, mesmo então, ele continuou tentando salvar Patrícia, telefonando todos os dias para saber se ela estava bem, passando com freqüência por sua casa e perguntando se poderia fazer algo por ela. Mesmo depois do divórcio e do segundo casamento, Elvis ainda tentava salvar a ex-esposa.

Finalmente, Patrícia pôs um ponto final nos telefonemas e visitas de Elvis. Com a ajuda de uma terapia, conseguiu confrontar suas emoções e lidar com elas em vez de trancá-las dentro de si. À medida que sua saúde emocional melhorava, sua confiança em si mesma para lidar com sua vida também melhorou. Ela descobriu que não precisava mais ser salva.

Exercício: O ponto cego do segundo filho é a dificuldade em imaginar como os outros se sentem. O ponto cego do terceiro filho é a dificuldade de conviver com os outros como iguais. Tornando-se mais atento à linguagem corporal e aos sentimentos que ela revela, tanto o segundo quanto o terceiro podem diminuir seus pontos cegos: segundos começam a reconhecer as emoções dos outros, e terceiros podem ver os outros como indivíduos, e não como vítimas.

Discuta as seguintes expressões de linguagem corporal com seu parceiro. Um pode ajudar o outro a interpretar o que elas significam:

- Cruzar os braços
- Franzir a testa
- Levantar as sobrancelhas
- Passo animado
- Voz aguda
- Voz grave
- Apontar o dedo
- Brincar com o cabelo
- Cruzar as pernas
- Movimentar os pés como se estivesse chutando
- Levantar uma sobrancelha
- Ficar com o rosto vermelho
- Apertar os olhos
- Colocar uma mão ao lado da face
- Puxar um lóbulo da orelha
- Olhar em outra direção quando você está falando
- Olhar para você quando está falando
- Responder antes que você termine a pergunta

Se lembrar de outras mensagens não-verbais, discuta-as também. Talvez suas interpretações precisem ser refinadas, mas você vai melhorar com a prática.

O segundo filho e o quarto filho

Na superfície, segundos e quartos filhos parecem ser compatíveis, especialmente em relação ao jeito de pensar. A tendência do segundo filho para a lógica é direcionada à supressão de emoções, enquanto a mente analítica do quarto filho procura formas de controlá-las. Com certeza eles se dão bem, certo?

Bem, sim e não. O fato é que o quarto filho, que cresceu tendo de compreender todos os irmãos mais velhos para sobreviver, é um mestre em convencer os outros racionalmente – não porque seja mais esperto, e sim porque aprendeu a controlar uma discussão ou briga mudando seu foco.

Por exemplo, digamos que uma segunda filha comente que a cozinha está precisando de uma reforma. Está ficando velha e feia, é muito difícil trabalhar ali, e ela já vem agüentando esses problemas há muito tempo. Eis como seu marido quarto filho pode responder: "Você pensa que somos feitos de dinheiro? Eu trabalho duro só para pagar as contas e chegar ao fim do mês. Não vou desperdiçar nossas economias em qualquer besteira".

Para a segunda filha, esse tipo de resposta é o equivalente a um rápido gancho de esquerda: vem do nada, e a deixa tonta e confusa. O quarto filho não respondeu a nenhum de seus argumentos. Em vez disso, pegou a discussão sobre a necessidade de reformar a cozinha e transformou-a em um debate sobre o orçamento doméstico e sobre o quanto ele trabalha duro. A segunda filha, que gastou sua energia relacionando as justificativas para reformar a cozinha, não consegue processar o que vê como um assunto completamente diferente, e então desiste.

O quarto filho também aprendeu a usar a raiva como ferramenta efetiva para conseguir o que quer. Sempre funciona muito bem com o segundo filho, que é altamente sensível à raiva e quer desesperadamente manter a paz. O segundo pacificador, que evita o confronto sempre que possível, fica indefeso contra a raiva do quarto, que sabe liberá-la sob medida nas horas mais oportunas.

Se o segundo filho descobre esses padrões durante o namoro, tende a sair do relacionamento. Mas, se o segundo e o quarto se casam, tendem a ficar juntos, mesmo que o segundo filho seja infeliz. Sua autodisciplina e adesão às regras o convencerão a permanecer no casamento.

Entretanto, os quartos filhos não fazem tudo que querem com os segundos. Lembra-se de Thomas, o segundo filho que ficava mudando de emprego toda vez que surgia uma promoção no horizonte? A mulher de Thomas era uma quarta filha que tinha aprendido como se ajustar às dificuldades da vida sem se deixar vitimizar. Ela quase nunca reclamava, e fazia o possível para se adaptar à carreira errática do marido. Outras ordens de nascimento poderiam ter feito freqüentes e enérgicas reclamações sobre a falta de coerência de Thomas e os problemas financeiros que ela causava à família; mas essa tolerante quarta filha demorou muito tempo para perder a paciência. Quando finalmente se encheu, ela achou um emprego bem pago e deixou que Thomas continuasse sozinho a sua busca pelo trabalho *perfeito*.

Exercício: A reação natural do segundo filho à raiva é achar um jeito de fazer as pazes, mas isso pode levar o quarto filho – que precisa que as pessoas se oponham a ele, para se sentir mais maduro – a ficar com mais raiva ainda. Às vezes, a estratégia mais efetiva para um segundo filho confrontado com a explosão de raiva do quarto é dizer em voz firme: "Pare com isso! É assim e ponto final..." Os quartos filhos podem se contrapor à passividade dos segundos filhos dizendo: "Me diga o que está errado". Ao se abrir a críticas, o objetivo é mudado: não se trata mais de espalhar raiva, e sim de fazer algo melhor – uma motivação primária para os segundos filhos.

Os segundos filhos se esforçam para ser os melhores possíveis, acreditando que apenas dessa forma merecerão amor. Já para os terceiros filhos, o desafio é tentar ser tudo para todas as pessoas o tempo todo – um padrão que até mesmo os segundos consideram muito exigente. Vamos colocar nossas capas e máscaras no próximo capítulo para ver o mundo pelos olhos heróicos do terceiro filho.

Capítulo Seis

O terceiro filho

Então vocês acham que os super-heróis existem apenas nos desenhos animados e revistas em quadrinhos? Na verdade, eles estão à sua volta – policiais, bombeiros, paramédicos, assistentes sociais. E existem boas chances de que essas pessoas sejam terceiros filhos. Talvez elas não consigam saltar entre os arranha-céus de um só pulo e não sejam realmente mais rápidas que uma locomotiva em alta velocidade. Mas são especialistas em salvar pessoas, e não apenas do perigo. Os terceiros filhos tentam resgatar as pessoas de decisões erradas, problemas financeiros e infelicidade em geral. Alguns deles ficam tão concentrados em salvar os outros que ignoram as próprias necessidades e, às vezes, os próprios interesses.

Os terceiros filhos salvam as pessoas porque não querem que os outros se sintam vulneráveis; e não querem que os outros se sintam vulneráveis porque é assim que eles mesmos se sentem. Os terceiros filhos aprenderam desde cedo a esconder seus sentimentos de vulnerabilidade debaixo de uma capa de força emocional, e gostam de mostrar ao mundo que nada os atinge.

Dependendo das circunstâncias, os terceiros filhos combaterão a própria vulnerabilidade tornando-se medrosos ou destemidos. O terceiro de tipo medroso normalmente tem um irmão segundo filho do sexo oposto, e aprende a evitar situações em que possa sentir medo. O terceiro filho do tipo destemido em geral tem um irmão segundo filho do mesmo sexo, e procura ativamente situações assustadoras, para provar que não tem medo. O terceiro filho medroso foge do risco; o terceiro destemido o procura. O resultado, entretanto, é o mesmo para os dois tipos: ambos acabam temendo o medo acima de qualquer coisa.

Os terceiros filhos têm dificuldade em formar relacionamentos próximos com os outros porque isso significa mostrar a outra pessoa seu calcanhar-de-aquiles – ou seja, permitir-se ser vulnerável. Essa é outra razão pela qual o trabalho de salvamento atrai tanto os terceiros filhos. Em serviços de emergência, como o de policiais, bombeiros e paramédicos, eles podem ajudar os outros noite e dia, mantendo a distância profissional. Esse distanciamento é considerado desejável e até necessário nessas áreas; nelas, os terceiros filhos são apreciados por fazerem um trabalho importante com o grau correto de distância emocional.

Em relacionamentos profissionais, o terceiro filho consegue preservar essa distância interpretando constantemente o papel de salvador. Salvadores são fortes e capazes; vítimas são fracas e desamparadas. Enquanto o terceiro filho está resgatando alguém, não precisa se relacionar com essa pessoa enquanto indivíduo.

Um terceiro filho demonstrou essa distância logo no primeiro encontro com a mulher com quem acabou se casando. Ele era policial e na primeira saída convidou-a para acompanhá-lo em sua patrulha. Os aparatos de seu trabalho – uniforme, distintivo, luzes e sirene, rádio – estabeleceram uma atmosfera de autoridade e proteção em torno dele disfarçando a vulnerabilidade que sentia. A mulher, nesse primeiro encontro, se dispôs a se relacionar com ele nas condições de seu trabalho, e ele se sentiu seguro o suficiente para convidá-la a sair de novo. À medida que continuaram namorando, ele conseguiu se abrir para ela, e finalmente, depois de três meses, lhe anunciou: "Agora não preciso mais ser policial o tempo todo".

Exercício: Imagine que você tem dois anos de idade, e está construindo um intrincado edifício com blocos. Sua irmã mais velha derruba os blocos sem que você perceba – mas você sabe que foi ela. Você vai chorar para sua mãe, que, como já ouviu essa mesma queixa inúmeras vezes, suspira e lhe diz para ignorar sua irmã. Você tenta essa nova tática e fica surpreso com os resultados. Não importa o que sua irmã faça – mexer com você, mexer nos seus brinquedos, lhe fazer caretas – você a ignora. Sem conseguir nenhuma reação, finalmente ela desiste e deixa-o em paz. Funciona! Você descobriu o segredo para se proteger dos outros, e de agora em diante não deixará nada incomodá-lo.

Quando você puder sentir insultos e gozações escorregarem por um escudo invisível a seu redor, estará experimentando o que sente um terceiro filho.

Não tenho nada para fazer!

Os terceiros filhos detestam ficar entediados, quase tanto quanto se sentirem vulneráveis. Eles podem estar perfeitamente felizes sentados à mesa de um bom jantar, em conversa animada com a família e os amigos, mas, depois que a refeição acaba, começam a olhar em volta, procurando algo para fazer. Os terceiros filhos não passam muito tempo tomando café depois do jantar, e ficam inquietos se seus companheiros enrolam muito por ali. Eles querem se levantar e seguir em frente.

É daí que vem a espontaneidade dos terceiros filhos. Se algo parece ou soa interessante para eles, saem feito uma bala para investigar – especialmente se estiverem fazendo algo que não lhes interessa particularmente. Os terceiros filhos, ao contrário dos únicos, acolhem bem as interrupções, porque elas espantam o tédio. Eles adoram quando parentes e amigos aparecem em sua casa sem avisar. A rotina, tão reconfortante para outras ordens de nascimento, pode frustrar o terceiro se continuar sem variação por muito tempo.

Embora muitos terceiros filhos não saibam disso, o que eles chamam de tédio na verdade é solidão. Os terceiros filhos normalmente são amigáveis com todo mundo, e têm dúzias de conhecidos; mas se protegem da vulnerabilidade mantendo as pessoas a certa distância. Um terceiro filho típico tem apenas um ou dois amigos do peito, com quem pode falar do que sente. Quando essas conexões não estão disponíveis, o terceiro filho se sente solitário. Mas, como a solidão implica em vulnerabilidade, o terceiro a chama de tédio.

Exercício: Para combater o tédio, os terceiros filhos precisam de variedade em seu dia-a-dia. Quando um terceiro filho diz que não tem nada para fazer, o que ele realmente está dizendo é que está na hora de mudar de atividade; mas nem sempre é fácil pensar em coisas novas e diferentes. Se isso acontecer com freqüência em sua casa, tente escrever uma lista de possíveis atividades e coloque-a na porta da geladeira ou perto da folhinha. Essas sugestões podem ser projetos domésticos; uma lista de restaurantes que você gostaria de experimentar; filmes, peças ou concertos que você quer ver; ou programas recreativos como acampar, pescar e assim por diante. Muitos jornais locais publicam uma agenda semanal ou mensal de eventos. Recorte essas seções e marque as coisas que lhe interessam. Assim, quando você ou seu parceiro sentir o tédio se aproximar, haverá um cardápio de opções à espera.

A grama do vizinho é mais verde...

Os terceiros filhos raciocinam por comparação. Em seu emprego, eles comparam o tipo e a quantidade de trabalho que fazem com o tipo e a quantidade que seus colegas fazem. Na vizinhança, comparam os tamanhos das casas, os jardins e até os veículos estacionados na entrada. No supermercado, observam o tamanho e o preço das embalagens e só compram depois de comparar cuidadosamente todas as opções.

Esse estilo de pensamento faz com que o terceiro filho se interesse mais pelo básico do que pelos detalhes. Ele quer uma conclusão simples, que se preste a comparações – isso é bom, isso é ruim, isso é divertido, isso é chato etc. A comparação permite que o terceiro filho decida se está fazendo progresso, se as coisas estão indo do jeito que ele esperava e se é preciso fazer alguma mudança.

Em alguns casos, esse pensamento por comparação leva o terceiro filho a questionar seus relacionamentos, sua carreira e até seu estilo de vida — o que não é necessariamente negativo. O terceiro filho policial sobre o qual falamos aqui freqüentemente pergunta a sua mulher por que ela acha que eles se dão tão bem, comparados aos outros casais que conhecem. Ele compara o jeito com que outros casais discutem ou fazem piadas e até sua forma de gerir as finanças. Essa comparação o assegura de que seu relacionamento é tão sólido quanto pensa, e assim reduz seu senso de vulnerabilidade.

Exercício: Pensar por comparações pode ser destrutivo quando tira o foco daquilo que você quer e coloca-o naquilo que as outras pessoas querem ou parecem ter. Quando isso acontece, você pode se descobrir perseguindo uma inatingível versão do sonho americano, sem apreciar ou valorizar o que já está presente em sua vida. Este exercício o ajudará a ter certeza de que os objetivos e sonhos pelos quais está lutando são seus. Ele também servirá para que você se dê conta daquilo que já tem.

Em uma folha de papel, faça duas colunas. Escreva na primeira coluna "O que tenho agora". Com esse título, enumere as coisas que você tem em sua vida agora, em todas as categorias – relacionamentos, família, carreira, casa, carro, finanças, recreação. Inclua nessa lista tudo o que conseguir lembrar; não se surpreenda se precisar de mais de uma página para completá-la.

Agora, escreva na segunda coluna "Coisas que quero". Essas são as coisas que você gostaria de ter, em cada uma das categorias da primeira lista. Por exemplo, se você vive em um apartamento na cidade mas gostaria de comprar uma propriedade no campo algum dia, escreva esse desejo na coluna das "Coisas que quero", mesmo se "algum dia" estiver longe no futuro. Deixe um espaço embaixo de cada item dessa lista. Nesse espaço, escreva a razão pela qual deseja esse item. Você pode querer aquela casa no campo para que seus filhos tenham um quintal grande para brincar ou para que você possa criar galinhas. Seja honesto em relação a seus motivos. Se quiser um novo carro porque seu melhor amigo acabou de comprar um, tudo bem, mas é importante reconhecer que essa é a razão real do seu desejo.

Depois que você tiver completado suas listas, deixe-as de lado por uma semana. Comprometa-se a não fazer nada para atingir qualquer dos objetivos da coluna "Coisas que quero" durante essa semana. No fim da semana, leia suas listas de novo. Você poderá descobrir que alguns dos itens da coluna "Coisas que quero" não são mais importantes, ou que as razões para desejá-los mudaram. Você poderá até ter alguns itens para acrescentar à coluna "O que tenho agora". Isso é bom. Significa que você está concentrado em apreciar o que tem e atento a seus sentimentos sobre o que quer.

Conte comigo

Lá no fundo, o terceiro filho acredita que não será amado se não for forte. Quando eram pequenos, os irmãos mais velhos o censuravam se mostrasse qualquer sinal de vulnerabilidade. Os pais podem ter dito ao terceiro filho para ignorar os insultos dos irmãos e expressado aprovação quando ele seguiu seu conselho. Assim, duas mensagens poderosas foram transmitidas ao terceiro filho: as pessoas não tentarão feri-lo se pensarem que você é forte; e os outros ficarão contentes se você agir como se fosse forte.

Quando atingem a idade adulta, os terceiros filhos já ficaram tão bons em aparentar força que freqüentemente não sabem como *não* ser fortes. Eles acreditam que, se não forem fortes, desapontarão alguém, e com certeza não querem fazer isso. Então eles continuam assim dia após dia, dando sua energia, apoio e até seu dinheiro aos outros, que podem ou não valorizá-los.

Sabina, uma terceira filha entre vinte e trinta anos, estava tão ocupada ajudando os outros e sendo forte que levou anos para perceber que o rapaz com quem morava estava se aproveitando dela. Como terceira filha, queria agradá-lo, e se orgulhava de sua capacidade de não deixar que as coisas a incomodassem – uma manifestação da típica atitude do terceiro filho de que "nada me atinge". Quanto mais exigências o namorado lhe fazia, mais Sabina dizia a si mesma que tinha de ser forte para ele. Para conseguir o que queria, ele só precisava agir como se precisasse de ajuda. Mesmo depois de perceber o que seu namorado estava fazendo, Sabina levou bastante tempo para decidir deixar a relação, porque ainda queria agradá-lo. E quase um ano depois de tê-lo deixado ainda se pegava atendendo aos seus pedidos a qualquer momento em que ele dissesse que precisava de algo.

Exercício: Quando os terceiros filhos assumem o papel de salvador, eles não vêem a força das pessoas, apenas as fraquezas. Para quebrar esse hábito, anote os pontos fortes de seu parceiro nas áreas a seguir. Se você sente dificuldade em levantar os pontos fortes, pense nas coisas que admira nele e relacione-as na categoria apropriada.

- Força emocional
- Força mental
- Força física
- Força espiritual
- Força social
- Outras forças

Quando tiver terminado sua lista, mostre-a a seu parceiro. Ele poderá ficar surpreso com o que você listou.

Cai fora!

Terceiros filhos não têm um sistema de defesa para ajudá-los a lidar com seus sentimentos de vulnerabilidade. Eles aprenderam a não mostrar esses sentimentos e mantêm a maioria das pessoas à sua volta a uma distância emocional segura; assim não terão de reconhecer vulnerabilidade. Mas os sentimentos não somem apenas porque você os esconde, e escondê-los não representa defesa. Então, quando os terceiros filhos alcançam o limite de sua capacidade de esconder sentimentos – e, para muitos terceiros, custa muito atingir esse ponto –, eles podem passar para o ataque. É como o balanço do pêndulo. Em um extremo, os terceiros filhos são cordatos, têm como objetivo agradar e ficam felizes em ajudar qualquer um em qualquer situação. No outro extremo, os terceiros filhos ficam bravos e, por falta de outra defesa, começam a atacar os outros.

Quando um terceiro filho atinge esse ponto, pode dizer algo como: "É isso, pra mim chega", ou "Estou cansado de ver todo mundo se aproveitando de mim; não vou mais fazer isso". Quando um terceiro atinge seu limite é porque sente que está sendo usado ou que estão se aproveitando dele. Esse sentimento está relacionado à sua convicção de que não será amado se não for forte.

Imagine como deve ser cansativo ser forte o tempo todo. Ninguém é capaz disso, nem mesmo o mais determinado terceiro filho. Existem momentos nos quais, até por pura exaustão emocional, os terceiros não conseguem ser fortes. Não sendo fortes, tornam-se vulneráveis, e, sendo vulneráveis, se sentirão encurralados. Então, já que não podem esconder sua vulnerabilidade com força, partem para a ofensiva. Podem fazer críticas aos outros ("Por que você não toma conta de si mesmo?"), ou reclamar de suas responsabilidades ("Tenho de fazer tudo aqui!"), ou podem, indiretamente, reconhecer a sensação de não serem dignos de amor ("Quando vou poder fazer algo por mim?").

Nesses momentos, os terceiros filhos querem que os outros os deixem em paz; podem até exigi-lo. Reafirmar que são amados pelo que são, com fraquezas e tudo, pode ajudar a acalmar seus sentimentos de vulnerabilidade. Com a prática, pode inclusive permitir que se sintam à vontade dizendo "Não".

Exercício: Os terceiros filhos geralmente fazem mais pelos outros do que por si próprios, algumas vezes esgotando tanto seus recursos que ficam desesperados para fazer algo por si. Para impedir o arco do pêndulo de ir aos extremos, elabore uma lista de coisas que você fez e pode fazer no futuro para si mesmo. Peça sugestões para a lista ao seu parceiro. Lembre-se de que as pequenas coisas são tão importantes quanto as grandes – tomar um banho de espuma, fazer uma caminhada no parque, assistir a um programa de tevê e comer sua comida favorita são pequenas coisas que você pode fazer por si mesmo. Elas o ajudarão a se sentir melhor quando tiver de fazer qualquer coisa pelos outros.Você poderá descobrir, dessa maneira, que faz mais por si mesmo do que imagina. Mas, sendo um típico terceiro filho, provavelmente ficará chocado ao descobrir quão pequena é essa lista. Essa consciência mais as sugestões de coisas que poderá fazer por si mesmo o ajudarão a levar o pêndulo a um vaivém mais razoável.

O terceiro filho e o único

Essa é uma combinação razoavelmente comum no casamento, talvez porque os terceiros filhos e os únicos são capazes de expressar suas emoções. De fato, sua comunicação não-verbal das emoções é tão parecida, que é fácil confundir essas duas personalidades por ordem de nascimento.

Mesmo assim, existem áreas nas quais os terceiros filhos e os únicos podem entrar em conflito. Por exemplo, o terceiro filho expressar seu amor ajudando o parceiro pode fazer o único sentir-se sufocado. O único precisa de tempo a sós, mas o terceiro só quer ficar sozinho quando está se sentindo infeliz, e por isso pode interpretar de forma errada esse desejo do único. As programações e a organização do único podem fazer o terceiro filho se sentir chateado, aprisionado ou ambos, ao passo que a capacidade do terceiro filho de mudar de direção ou planos num átimo pode ser altamente estressante para o único.

Quando há conflito, os terceiros filhos e os únicos geralmente conseguem achar formas de se adaptar, mesmo não entendendo inteiramente um ao outro. O terceiro filho quer agradar a seu parceiro e concederá ao único tempo a sós se isso o fizer feliz. O único pode tolerar a espontaneidade do terceiro filho se seus planos forem experimentais, e não tão firmes. Essas duas personalidades por ordem de nascimento farão grandes esforços para dar uma à outra aquilo que imaginam que o parceiro quer.

Patrick e Rose são um bom exemplo desse tipo de adaptação. Rose é única e Patrick é terceiro filho do tipo medroso. Eles se apaixonaram e decidiram morar juntos, e planejavam se casar. Escolheram uma data e fizeram todos os arranjos, mas poucos dias antes do casamento Patrick recuou. É claro que Rose ficou arrasada, mas depois que a data marcada para o casamento passou, eles ficaram juntos de novo e começaram a falar sobre uma nova data.

Patrick não mudou de idéia porque ele e Rose estivessem tendo problemas. Ele recusou porque estava morrendo de medo. Depois que a primeira data do casamento passou, seu medo diminuiu, e ele começou a se sentir melhor em seu relacionamento com Rose e a planejar de novo seu casamento.

Como única, Rose privilegiava a emoção e, portanto, podia entender a reação de Patrick aos próprios sentimentos. Ela podia até aceitar aquilo que seria difícil de acreditar para outras personalidades por ordem de nascimento – que a relutância de Patrick em casar baseava-se apenas em seu medo e não em qualquer restrição à noiva. Para outras ordens de nascimento, as atitudes de Patrick seriam sentidas como desrespeito, falta de confiabilidade, deslealdade e rejeição. Mas Rose conseguiu entender o ponto de vista de Patrick e fazer novos planos de casamento.

Exercício: A espontaneidade do terceiro filho pode se chocar com a organização do único, mas a frustração devida aos estilos diferentes pode ser significativamente reduzida quando o terceiro filho decide planejar algumas coisas. O terceiro filho terá de se preparar, especialmente se for do tipo destemido. Mas aqui estão algumas coisas que você pode fazer:

- Se está com vontade de ir comer fora, sugira fazer isso amanhã, em vez de hoje.
- Sugira convidar alguém para vir em casa no próximo fim de semana, e não nesse.
- Faça um convite para dar uma volta depois do jantar, em vez de agora mesmo.
- Em vez de planejar uma festa-surpresa para seu parceiro único, proponha a festa, e depois planeje-a com ele.

Ao dar a seu parceiro único algum tempo para se preparar para as atividades que você planeja, você reduz o potencial de estresse dele. E, como a organização e o conhecimento do que vai acontecer são importantes para ele, lembre-se de falar com seu companheiro sobre quaisquer planos, antes de sugeri-los a outra pessoa.

O terceiro filho e o primogênito

Os terceiros filhos normalmente se sentem atraídos pelos primogênitos que os fazem se sentir seguros. Esse primogênito não faz exigências ao terceiro filho; em vez disso, ouve-o, concorda com ele e valoriza suas idéias e opiniões. Quando o terceiro filho fala, o primogênito olha para ele, balança a cabeça concordando e faz perguntas para indicar que está ouvindo. Esse tipo de primogênito não ameaça o terceiro filho, e portanto ele pode relaxar.

Terceiros filhos do tipo medroso freqüentemente acham os primogênitos mais atraentes – ao contrário do que acontece com terceiros filhos destemidos – por causa do sentimento de segurança. Esses terceiros filhos se sentem confortáveis no relacionamento e raramente pensam em deixá-lo. Outras pessoas podem ficar intrigadas com essa disposição do terceiro filho em aceitar comportamentos do esposo primogênito que ele nunca toleraria em outras pessoas.

Lia era uma terceira filha desse tipo. Seu marido primogênito, Philipe, era infiel, e os amigos dela viviam lhe dizendo para deixá-lo. Eles imaginavam que ela se sentia ofendida com o comportamento de Philipe. Mas ela estava pronta a perdoá-lo, e sempre procurava formas de recuperar o relacionamento. Quando ele foi embora, Lia continuou procurando-o, argumentando com ele e fazendo promessas que achava que lhe agradariam. Concedeu-lhe tempo para descobrir o que queria em vez de pressioná-lo a voltar para casa. Foi parcialmente bem-sucedida, porque Philipe voltou por um período; mas no fim ele terminou o casamento.

Dennis, um terceiro filho do tipo destemido, não teve essa atitude conciliadora com Joyce, sua esposa primogênita. Ele se sentiu atraído por ela por compaixão pelas experiências ruins que Joyce tinha vivido e casou para lhe dar uma vida melhor. Também assumiu o trabalho de fazer dela uma pessoa melhor. Ele lhe dizia como agir, como se vestir, como se comportar com os outros, como lidar com as crianças; e a aconselhava sobre como proceder em praticamente todas as áreas da vida. Vindo de um segundo filho, esse tipo de conselho seria um reflexo de sua ânsia pela perfeição. Mas, vindo de um terceiro filho, essa é mais uma forma de salvar alguém. A mensagem é "Você não sabe fazer isso, então eu o ajudarei".

Dennis ficou desencorajado quando sentiu que Joyce não estava deslumbrada com seus esforços para aperfeiçoá-la. Mas o relacionamento melhorou quando ele começou a vê-la como uma pessoa competente, e ela começou a confiar nas próprias habilidades. De vez em quando, Dennis ainda dá a Joyce idéias sobre o que deve fazer e como fazê-lo; mas Joyce não se sente obrigada a seguir suas sugestões e Dennis não se sente rejeitado se ela decide fazer as coisas do seu jeito.

Exercício: Terceiros filhos que agem como salvadores em geral acreditam que os outros precisam de sua ajuda, e quase nunca distinguem entre as ocasiões em que a ajuda é necessária e aquelas em que é, no máximo, apreciada. Quando seu parceiro terceiro filho pergunta: "Você precisa de ajuda?", você pode esclarecer a diferença dizendo: "Não preciso, mas gostaria que você me desse uma mãozinha". Essa frase faz com que o terceiro filho desista do "salvamento"; e coloca você e seu parceiro em pé de igualdade para fazer a tarefa.

Se você é um terceiro filho que se preocupa com sua tendência a bancar o salvador, acostume-se a perguntar: "Você gostaria que eu o ajudasse?", em vez de dizer: "Precisa de ajuda?" Peça ao seu parceiro para corrigi-lo e lembrar-lhe a frase acima quando você escorregar de novo para o papel de salvador.

O terceiro filho e o segundo filho

Terceiros filhos e segundos filhos podem ter relacionamentos maravilhosos. O segundo filho gosta da liberdade de expressão emocional do terceiro filho, e a confiabilidade do segundo filho ajuda o terceiro a se sentir seguro. Embora o sarcasmo do segundo possa confundir e ferir o terceiro, ambos têm senso de humor parecido.

Débora, uma terceira filha do tipo medrosa, tinha essa dificuldade com seu marido segundo filho, Douglas. Eles estavam casados havia mais de quarenta anos; ela fora infeliz durante a maior parte do casamento e finalmente decidira procurar ajuda. Douglas estava contente com a relação e não a maltratava, mas ela achava que teria de desistir do casamento, pois se sentia terrivelmente mal.

O problema acabou se revelando relativamente simples: Débora não reconhecia as brincadeiras de Douglas como humor. Ela as tomava a sério, e achava que ele fazia aquilo de propósito para que ela se sentisse mal. No começo, quando lhe disseram que o senso de humor de Douglas era assim, teve dificuldade em acreditar; mas quando aceitou essa premissa, começou a se sentir melhor.

Examinando melhor o comportamento de Douglas, Débora percebeu que havia feito uma leitura errada de seu senso de humor. Ela achava que Douglas estava sempre tentando controlála. Sempre que ela queria comprar algo ou tomar uma iniciativa, ou nos momentos em que tinha uma idéia, Douglas dizia algo negativo. Quando ela percebeu que ele brincava também nessas ocasiões, começou a responder usando seu próprio senso de humor e se sentiu mais confortável na relação.

Débora permaneceu no relacionamento muito mais tempo do que outras pessoas ficariam se estivessem tão infelizes quanto ela. Ela continuou casada porque era uma terceira filha do tipo medroso, incapaz de assumir o risco de ficar sozinha; era mais seguro continuar com o marido, até mesmo quando achava que ele estava sendo mau com ela.

O desejo do terceiro filho de agradar e a tendência do segundo filho de criticar também podem causar problemas em um relacionamento. Essa era a questão para Augusto, um terceiro filho, e Sara, uma segunda filha.

Augusto se sentia desencorajado porque não conseguia agradar Sara. Ele aparava a grama e ela observava que ficaria mais bonito se tivesse trabalhado no sentido diagonal. Ele fazia o jantar e deixava-o pronto para quando ela chegasse do trabalho, e ela dizia que naquela noite batatas assadas cairiam melhor do que purê. Como terceiro filho, Augusto queria agradar Sara; como segunda filha, Sara procurava formas de melhorar as coisas em vez de expressar prazer com os esforços de Augusto.

Entender a ordem de nascimento ajudou Augusto e Sara a apreciar um ao outro. Augusto descobriu que poderia encontrar satisfação fazendo algo para Sara, independentemente da reação dela. Sara conseguiu entender seu desejo de perfeição, e percebeu que Augusto não o compartilhava. Ela começou a apreciar as coisas que ele fazia sem se preocupar em melhorá-las e passou a concentrar suas tendências perfeccionistas nas coisas que *ela* fazia. Agora que conhecem a ordem de nascimento, Augusto e Sara conseguem rir das manias um do outro em vez de ficar irritados.

Exercício: Os segundos filhos apreciam detalhes – quanto mais, melhor – mas os terceiros filhos gostam de passar por cima deles para chegar ao básico. Você pode praticar para fornecer ao seu parceiro segundo filho os detalhes pelos quais ele anseia dizendo: "Estive pensando..." Quando você começa com essa frase, mesmo que não dê os detalhes em seguida, seu parceiro segundo filho faz perguntas para apurar os detalhes.

Usar essa técnica também dá ao terceiro filho uma oportunidade de exercitar seus consideráveis poderes de persuasão. Por exemplo, você pode perguntar ao seu parceiro: "Quer viajar neste fim de semana?" A resposta pode ser um sim ou um não, ou uma série de objeções. Mas suponha que você diga: "Estive pensando. Já faz seis semanas desde a última vez em que viajamos. Há um desconto especial na diária dos hotéis neste fim de semana, e depois nós podíamos ir àquele concerto do qual falamos, e até passar naquela lojinha de antigüidades e ver se eles ainda têm aquela lâmpada de que nós gostamos outro dia." Aqui, você deu detalhes ao seu parceiro segundo, e, se ele quiser mais, perguntará: "Será que até lá conseguiremos alguém para dar comida ao cachorro?"

O terceiro filho e outros terceiros filhos

O casamento terceiro/terceiro pode ser o relacionamento mais compatível que existe. A combinação mais habitual é de um terceiro filho destemido com uma terceira filha medrosa; nesse relacionamento, ela precisa de proteção e ele pode fornecê-la. Os terceiros filhos se atraem pelo seu senso de humor, e muitas vezes é isso que os mantém juntos. Até mesmo em tempos difíceis, eles podem fazer piadas um com o outro, e se entendem porque seu senso de humor é o mesmo.

Quando dois terceiros filhos procuram terapia, geralmente é porque o destemido está assumindo riscos que deixam o medroso inseguro. O terceiro filho medroso não quer que os outros se arrisquem, e sabe que os riscos que o destemido está correndo podem ser ameaçadores. Se o terceiro filho destemido conseguir moderar essa atitude, os dois poderão se dar muito bem.

Dois terceiros filhos raramente rompem, mas pode acontecer. Luis e Sheila, ambos terceiros filhos do tipo destemido, se tornaram extremamente agressivos um com o outro, atacandose de todas as formas possíveis. Seu divórcio foi rancoroso e desagradável, e eles guardaram raiva um do outro por muito tempo depois do rompimento.

Exercício: Dois terceiros filhos típicos vivem fazendo piadas um com o outro. A conexão entre os dois não será fácil, porque o humor tende a estabelecer uma distância e encerrar o assunto. Mas você pode usar o humor como uma ponte, e não como uma porta.

Quando seu parceiro fizer uma piada, responda usando seu próprio senso de humor, e depois continue o mesmo assunto. Por exemplo, se você sugerir uma noite fora, seu parceiro pode propor, brincando, que vocês visitem um clube de strip-tease, para "nos divertirmos de verdade". Você pode responder de uma forma que reconheça o humor dele – "Bem que você gostaria, não é?" – e continuar com: "Eu estava pensando que poderíamos ir assistir à peça que está passando no teatro da comunidade".

O terceiro filho e o quarto filho

Terceiros filhos e quartos filhos parecem ter, na maior parte do tempo, uma relação razoavelmente equilibrada; especialmente se o quarto filho não tem problemas de raiva reprimida. Os esforços do terceiro filho para agradar podem ajudar o quarto a se sentir querido, e as qualidades quase infantis do quarto podem fazer o terceiro filho se sentir forte e protetor. O terceiro filho é compassivo, e o quarto filho é empático; e o humor sarcástico do terceiro filho tem semelhanças com o humor insultuoso do quarto.

Às vezes, entretanto, as qualidades do terceiro podem se chocar com as do quarto. Os terceiros filhos querem que os outros sejam felizes e farão qualquer coisa ao seu alcance para isso. Quando os quartos filhos reagem com raiva aos esforços dos terceiros, estes sentem que não são apreciados nem amados. Por outro lado, os quartos filhos podem provocar tentativas de salvamento dos terceiros ao comentar como as coisas são difíceis. Essa é uma das formas de o quarto filho afirmar sua maturidade; mas, para o terceiro filho, soa como um grito de socorro.

Quando Ellen, uma terceira filha, tentava facilitar as coisas para Walter, seu parceiro quarto filho, os sentimentos de imaturidade dele despertavam e ele ficava bravo. Para ele, os esforços de Ellen para ajudar significavam que ele era imaturo demais para fazer as coisas sozinho; ele precisava do desafio de fazer as coisas por si mesmo para se sentir adulto. Uma vez que Ellen entendeu Walter, e parou de tentar salvá-lo, o relacionamento deles melhorou.

Exercício: O humor pode ser uma área difícil para o terceiro filho e o quarto filho, porque o humor sarcástico do terceiro freqüentemente é dirigido a si mesmo, enquanto o humor insultuoso do quarto é dirigido aos outros. Os terceiros às vezes têm problemas para achar os insultos engraçados; mas se eles responderem aos insultos do quarto na mesma moeda, mas caçoando de si mesmos, os dois conseguirão se entender melhor e apreciar um o humor do outro.

Aqui estão alguns exemplos dos insultos do quarto filho e de possíveis respostas do terceiro:

- Quarto filho: "Isso foi estúpido".
  Terceiro filho: "Claro, sou estúpido, com certeza. Sou tão estúpido que nem sei quanto – ainda bem que tenho você para me dizer!"

- Quarto filho: "Você não consegue fazer nada sozinho".
  Terceiro filho: "Puxa, como estou contente que você esteja aqui para me lembrar de que sou um pobre desamparado. Senão, eu pensaria que posso fazer qualquer coisa. Me lembre sempre de que sou um inútil, viu?"
- Quarto filho: "Você está me usando".
  Terceiro filho: "Isso mesmo, sou tão inútil que tenho que te usar, não é? Senão, não chegaria a lugar nenhum. Estou tão feliz por ter você para usar!"

Para outras ordens de nascimento, esses diálogos podem parecer rudes e brutais, mas esse tipo de réplica permite que tanto o terceiro filho quanto o quarto descubram o que há de engraçado no humor particular de cada um. Em muitas áreas – não só o humor – os quartos filhos são as pessoas mais difíceis de entender, pelo fato de sua visão de mundo ser tão diferente das outras ordens de nascimento. A seguir, analisaremos o fascinante quarto filho.

Capítulo Sete

O quarto filho

O mundo pode parecer um lugar frio e solitário para o quarto filho. Ninguém – exceto outro quarto filho – realmente entende como ele pensa e se sente. Ninguém mais teve que crescer com o mesmo conjunto de desafios que o quarto filho encarou, e, como ele normalmente é caçula, nenhuma das outras ordens de nascimento teve que gastar energia decifrando o quarto filho. Para as outras ordens de nascimento bastava serem mais velhas, maiores e mais fortes para manter o quarto filho na linha.

Mas o quarto filho tinha de decifrar todas as personalidades em sua vida só para atravessar mais um dia. Quanto melhor pudesse entender seus irmãos, mais fácil evitar que eles o maltratassem. Essa realidade fez do quarto filho um mestre em analisar comportamentos, emoções e motivos dos outros – e também em manipulá-los, se assim o escolher.

Esse padrão de análise pode ajudar a explicar por que quartos filhos tendem a desconfiar dos outros. Um quarto filho descobriu que era muito difícil ser bom com outras pessoas, porque, como expressou: "Se eu for legal com alguém, ou se alguém for legal comigo, de qualquer jeito vai acabar me custando algo. Então, para que me incomodar?" Ele aprendeu que muitas vezes os outros eram bons para ele porque queriam alguma coisa em troca; e, mesmo quando não era o caso, ele acreditava que suas suspeitas no final acabariam se provando válidas. Quando ele fazia algo de bom para alguém, descobria que seus motivos eram questionados; ou, o que também é ruim, sentia que as pessoas começavam a esperar que ele fosse sempre bom.

Na verdade, comportar-se bem fazia com que esse homem se sentisse em uma armadilha. Se alguém fazia algo de bom para ele, em algum momento esperaria que ele retribuísse o favor; ele se sentia preso nesse ciclo antes mesmo que se iniciasse. Da mesma forma, se por uma vez ele fizesse algo de bom para alguém, estava convencido de que seria obrigado a ser bom para aquela pessoa pelo resto da vida, quisesse ou não. A sensação de estar preso em uma armadilha é comum entre quartos filhos e pode ser um reflexo do senso de desamparo que eles experimentaram quando eram pequenos e ficavam à mercê dos irmãos mais velhos.

Uma boa parte da visão de mundo do quarto filho reflete dolorosas experiências da infância. Quando crianças, lhes diziam continuamente que eles eram muito novos, muito pequenos, muito fracos ou muito imaturos para participar de atividades com os irmãos mais velhos. Freqüentemente essas mensagens persistem na vida adulta e até quartos filhos adultos podem ter dificuldade em acreditar na própria maturidade.

Pior ainda, os quartos filhos muitas vezes têm dificuldade em acreditar que outras pessoas os querem por perto. Afinal, ninguém os queria por perto quando eles eram crianças – esse era o significado real de todos aqueles "muito novo, muito fraco etc." – e os quartos filhos se acostumaram com a idéia de que não deviam seguir os outros, a menos que fossem especificamente convidados. Como adultos, os quartos filhos ainda se sentem indesejados; eles costumam se sentir desconfortáveis e se retrair em grupos grandes, mesmo se o grupo é da família. Também recusam convites coletivos, pois acreditam que não se dirigem a eles – a menos que sejam especificamente convidados a se juntar ao grupo.

Uma mulher na faixa dos cinqüenta ainda sente que os outros a ignoram. Ela descreve assim o que costuma experimentar em grupos grandes, como reuniões em seu local de trabalho: "Quando eu digo algo no meio da conversa, as pessoas continuam conversando como se eu não tivesse falado. Eu me sinto horrível, como se nem existisse".

Nos filmes da série *Esqueceram de Mim*, Kevin McAllister é o caçula de uma grande família. Seus irmãos e irmãs mais velhos o vêem como uma praga; nunca guardam pizza para ele; ele é barrado em seus quartos, e seus irmãos lhe dizem para cair fora quando estão com os amigos; e, se tudo mais falhar, o ignoram, esperando que ele simplesmente vá embora. Esse padrão está tão inculcado na família, que, quando eles viajam para as férias de Natal, ninguém nota que Kevin foi deixado para trás.

Para os quartos filhos, esse roteiro não é só a premissa de uma comédia popular de Hollywood. Essa é sua vida, e não tem graça nenhuma.

Exercício: Imagine que você tem quatro anos de idade. Você quer brincar com seus irmãos mais velhos, mas eles fogem de você, ou lhe dizem que você não é grande o bastante para brincar com eles. Um dia, eles lhe pedem para pegar a bola para eles. Você ansiosamente corre atrás da bola, pensando que vão incluí-lo na brincadeira depois que lhes fizer esse favor. Mas, quando você volta com a bola, eles lhe dizem de novo para ir embora; você ainda não é grande o suficiente para brincar com eles. Agora você está sozinho, com raiva e sentindo que foi usado – e resolve nunca mais ser enganado desse jeito.

Quando você puder sentir a mágoa da rejeição e a crescente suspeita sobre os motivos dos outros, estará experimentando o que é ser um quarto filho.

"A vida é dura"

Você tem um amigo ou colega de trabalho que usa bastante essa frase? Essa pessoa pode ser um quarto filho; a idéia de que "a vida é dura" foi enfiada na cabeça do quarto filho desde a mais tenra idade. Em geral, os quartos filhos são os mais injustiçados pelos irmãos – às vezes até pelos pais – e por isso sentem que conseguir justiça é difícil. De fato, muitos quartos filhos sentem que não há justiça no mundo e tudo que podem fazer é dar o troco quando são prejudicados. Quando crianças, eram impotentes contra os irmãos mais velhos, que podiam roubar deles brinquedos, atenção, o controle remoto da tevê ou o melhor lugar no sofá – o que ensina o quarto filho a trabalhar duro para manter o que tem. Além disso, os irmãos mais velhos estavam sempre fazendo coisas que eram difíceis para o quarto – corriam mais rápido, liam melhor, e brincavam com jogos mais complicados — o que levava o quarto filho a pensar que, se ele tentasse com empenho suficiente, seria incluído nas atividades das crianças mais velhas. Na infância, os quartos filhos têm de trabalhar tão duro para alcançar os irmãos mais velhos que o hábito perdura pela vida inteira e se torna uma visão de mundo inabalável.

Do ponto de vista do quarto filho, trabalhar duro é o equivalente a crescer. Todas aquelas coisas que as crianças mais velhas conseguem fazer são difíceis para ele, portanto o quarto resolve que devem ser difíceis para os mais velhos também. E, se essas crianças mais velhas estão dando duro, então é disso que o quarto filho precisa para se sentir crescido.

Acreditar nessa filosofia impede os quartos filhos de relaxar. Não é raro que quartos filhos adultos estejam sempre correndo de um lado para outro, em casa e no trabalho. Uma quarta filha pode sentar-se para ver tevê, mas enquanto isso estará dobrando as roupas lavadas. Um quarto filho pode ir a uma reunião de família, mas provavelmente passará a maior parte do tempo cuidando dos cachorros-quentes e salsichas na grelha. Para eles, não existe diferença entre relaxamento e preguiça. Se uma tarefa em particular é fácil, não vale de fato a pena, e, se você elogiar um quarto filho por cumpri-la, ele provavelmente sentirá que você está sendo condescendente.

Você quer de fato surpreender e agradar a um quarto filho? Diga à mulher que está dobrando a roupa na frente da televisão: "Você realmente dá um duro nesta casa, hein? Dá para ver que isso é muito importante para você". O reconhecimento já é muito gratificante para os quartos filhos; o trabalho duro faz com que se sintam maduros, mas o elogio faz com que se sintam notados.

Os quartos filhos que acham que trabalho duro é o mesmo que maturidade não se oferecem para ajudar alguém que precisa fazer algo difícil. Eles não querem que os outros se sintam imaturos, então deixam a outra pessoa fazer seu trabalho sozinha. Ajudar – na visão do quarto filho – seria insinuar que a outra pessoa é muito imatura para terminar a tarefa.

Exercício: Os quartos filhos às vezes têm muita dificuldade em relaxar, porque acreditam que só podem ser amados se trabalharem duro o tempo todo. Você pode encorajar seu parceiro quarto filho a relaxar – e a reconhecer seus sentimentos de maturidade – oferecendo "tempo de diversão" como recompensa pelo que fez. Ao dizer: "Você deu duro esta semana, merece jantar em um bom restaurante" você mostra ao quarto filho que notou seus esforços e o faz sentir-se querido, oferecendo uma saída à noite. Esse tipo de discurso também dribla as suspeitas naturais do quarto filho, porque você já diz desde o começo o motivo para essa recompensa.

O que isso quer dizer, afinal?

O quarto filho analisa o tempo todo, sempre se pergunta "e se...?", sempre tenta descobrir o que outras pessoas estão pensando e sentindo. Dessa forma, dificilmente toma as palavras e ações de outras pessoas pelo que aparentam ser — seria muito fácil. Como você pode imaginar, a comunicação genuína com os quartos filhos é difícil, já que eles muitas vezes atribuem motivos e emoções aos outros que só existem em sua análise.

A desconfiança inerente do quarto filho em relação a outras pessoas é parte integrante desse padrão de pensamento analítico. Estão sempre alerta às armadilhas que os outros armaram contra eles. Até um simples "oi" pode parecer ameaçador ao quarto filho. Eles estão tão acostumados a ser ignorados que suspeitam de potenciais motivos escusos em tudo. Pode ser que a pessoa que diz "oi" ao quarto filho esteja apenas sendo educada. Mas pode ser que essa pessoa queira algo dele e esteja tentando desarmá-lo ao fingir ser amigável. O quarto filho pode responder, mesmo que cautelosamente, ou pode passar sem reconhecer o cumprimento.

Quando essa desconfiança é particularmente pronunciada, os quartos filhos tentam fazer os outros justificarem seu comportamento e *provarem* sua sinceridade. Uma terapeuta que trabalhava em uma prisão passou por isso com um prisioneiro quarto filho, que lhe disse: "Você só está aqui pelo dinheiro. Você nem liga para nós". Se a terapeuta tivesse fisgado a isca, teria sido empurrada para um ciclo em que continuamente seria obrigada a provar que se importava com os prisioneiros. Em vez disso, ela disse ao prisioneiro: "Você pode pensar o que quiser". Ele foi embora e nunca mais tentou pôr em dúvida suas motivações.

Exercício: Quartos filhos nem sempre acreditam no que ouvem de outras pessoas – especialmente quando o que ouvem indica que outros podem gostar deles, apreciá-los ou querê-los por perto. Mas você pode vencer essa incredulidade cortando o mal pela raiz. Se você disser, por exemplo: "Gosto muito de conversar com você", o quarto filho não acreditará que está sendo sincero. Por outro lado, se disser: "Pode ser difícil acreditar, mas eu gosto mesmo de nossas conversas" a confiança do quarto filho em sua sinceridade cresce exponencialmente. Reconhecer a tendência do quarto filho à desconfiança permite que ele se distancie do automatismo desse comportamento e decida conscientemente acreditar ou não no sentimento expressado.

"Não é minha culpa"

Quartos filhos – especialmente aqueles que são caçulas – são ótimos bodes expiatórios para irmãos mais velhos. Sempre que podiam, as crianças mais velhas acusavam o quarto filho de suas faltas, e o quarto filho ficava na defensiva, independentemente de ser culpado ou não da infração. Por isso, se há uma coisa que o deixa enfurecido é levar a culpa por algo. No limite, até mesmo um pedido de informação ("Você pagou a conta do telefone?", por exemplo) pode causar um acesso de raiva no quarto filho se ele achar que você está tentando culpá-lo.

Para outros, essa posição defensiva pode dar a impressão de que o quarto filho está evitando assumir responsabilidade por suas ações. Desculpas na linha do "não foi minha culpa" dificilmente têm sentido para outras personalidades por ordens de nascimento. Mas fazem todo sentido do ponto de vista do quarto filho.

Se forem bodes expiatórios para os irmãos mais velhos na infância, e especialmente se forem punidos por coisas que não fizeram, os quartos filhos crescerão acreditando que não existe justiça. Aprenderão que não podem esperar que os outros os tratem de forma justa. Se as outras pessoas não agirão de modo justo, a única opção que resta aos quartos filhos é reagir e dar o troco. Com esse raciocínio, os quartos filhos justificam para si mesmos suas ações como resultantes das ações alheias.

Esse padrão prevalece principalmente entre quartos filhos que guardam muita raiva. Em geral, quartos filhos raivosos viveram muitas injustiças quando crianças, e são ainda mais adeptos da filosofia do olho por olho, dente por dente. Já adultos, acreditam que seu comportamento é governado pelas atitudes dos que os rodeiam, o que parece perfeitamente lógico para eles: se você não tivesse feito isso, eu não teria feito aquilo. Portanto, é sua culpa se eu fiz aquilo; não tive outra escolha.

Em nosso sistema judicial, chamamos essa atitude de "culpar a vítima". Pessoas acusadas de crimes violentos – agressão, estupro, assassinato – tentam justificar suas ações argumentando que a vítima provocou a agressão com o seu comportamento. A vítima da agressão disse algo insolente ao agressor; a vítima de estupro vestia roupas insinuantes; a vítima de assassinato perseguia e depreciava o assassino. Esse mesmo padrão funciona em casos de violência doméstica (a idéia de que o parceiro agredido causou o espancamento com suas ações) e até nos casos de abuso sexual de crianças, quando o molestador tenta transferir a responsabilidade para a vítima.

É um fato triste, mas quartos filhos raivosos parecem representar uma parcela maior do que a que seria normal na população de nossas prisões. Mas também é verdade que nem todos os quartos filhos guardam tanta raiva; e mesmo aqueles que guardam podem se livrar desse fardo através da terapia.

Exercício: Qualquer um pode guardar raiva, mas isso é especialmente comum entre os quartos filhos porque, de todas as personalidades por ordem de nascimento, eles são os que mais experimentam injustiças. Este exercício é benéfico para qualquer um que já teve essa experiência – ou, em outras palavras, para todos nós.

Você e seu parceiro se revezam nesse jogo. Quando for sua vez, lembre-se das injustiças mais recentes que você sofreu, mas – isso é muito importante – NÃO conte a seu parceiro. Simplesmente balance a cabeça quando se lembrar de uma injustiça; a esse sinal, seu parceiro dirá: "Tudo bem, você pode perdoar essa pessoa". Balance a cabeça a cada vez que tiver uma dessas recordações. Cada vez que você fizer isso, seu parceiro dirá a mesma frase: "Tudo bem, você pode perdoar essa pessoa".

Não queremos que você conte suas lembranças neste exercício, porque contar poderia levar você ou seu parceiro a se compadecer um do outro em vez de dar permissão para perdoar. A compaixão permite que relembremos as injustiças, mas não libera raiva. Só nos libertamos da raiva quando perdoamos.

As palavras usadas também são importantes. Você e seu parceiro devem dizer: "Tudo bem, você pode perdoar essa pessoa". Em nível subconsciente, quaisquer outras palavras apenas permitirão que você decida se perdoa, o que não é a mesma coisa que de fato perdoar.

Se você se sentir muito comovido por uma lembrança, faça uma pausa. Preste atenção aos seus sentimentos. Quando eles tiverem se acalmado, volte ao exercício, começando com essa última lembrança.

Você pode ficar surpreso com quantos exemplos de injustiça você recordará de cada época de sua vida, da primeira infância à semana passada. Não é raro lembrar quarenta ou cinqüenta exemplos de uma vez. Na verdade, por alguns dias depois de fazer esse exercício, você poderá se pegar lembrando ainda mais exemplos. Quando isso acontecer, diga a seu parceiro: "Tenho outra", e ele responderá: "Tudo bem, você pode perdoar essa pessoa".

Você pode sentir vontade de falar sobre algumas lembranças mais tarde. Deixe passar uma noite de sono antes de seguir esse impulso e contar suas lembranças a seu parceiro, para que seu subconsciente processe tanto a lembrança quanto a permissão para perdoar.

Você me pertence

Esse sentimento pode ser belo em um poema ou canção, mas na vida real causa muita infelicidade e até violência. Quartos filhos que se relacionam dessa maneira com seus parceiros não os vêem como indivíduos, e sim como propriedades. E eles podem chegar a extremos para manter suas propriedades.

Mais uma vez, esse comportamento foi aprendido na infância. Irmãos mais velhos tiravam brinquedos do quarto filho. O brinquedo podia até ser da criança mais velha, mas o quarto filho era pequeno demais para entender. Tudo que ele sabia era que não conseguia ficar com um só objeto que quisesse, e que se sentia muito mal com isso. Quartos filhos assim podem decidir, desde bem pequenos, que nunca deixarão ninguém tomar coisas deles quando crescidos.

Esses quartos filhos podem adquirir o hábito de guardar tudo – até aquilo que não querem mais, não precisam nem gostam mais. Guardam apenas porque não guardar é doloroso demais para eles. Se alguém manifesta interesse em algo que pertence a esse quarto filho, esse objeto subitamente se torna precioso e vital para ele, mesmo que estivesse há anos juntando poeira no sótão ou no porão.

O mesmo vale para as pessoas na vida desses quartos filhos. Seus parceiros são, na verdade, propriedades, e nunca deixarão de sê-lo. No colegial, uma garota quarta filha rompeu com seu namorado e não mostrou mais nenhum interesse por ele durante dois anos. Mas, quando seu ex começou a namorar outra moça, essa garota decidiu que o queria de volta. Para ela, o rapaz era uma propriedade que ninguém mais podia ter, mesmo que ela na verdade não o quisesse.

Quartos filhos que se sentem assim com seus parceiros muitas vezes se aproximam da pessoa mais atraente. Eles podem elogiar seus parceiros pela boa aparência; podem até insistir para que eles se vistam de certa forma, se exercitem todo dia ou percam peso, para continuar com boa aparência. Isso faz sentido, do ponto de vista do quarto filho. Da mesma forma que deseja que o carro novo não tenha ferrugem, amassados e arranhões, também deseja que suas outras propriedades fiquem em boa forma.

Para manter o parceiro, o quarto filho será encantador, bondoso, cuidadoso e cheio de atenções. Durante o namoro, ele está em campanha para ganhar a posse do outro e fará qualquer coisa para atingir seu objetivo. O alvo dessa campanha se sente bem com o comportamento do quarto filho – pode até se sentir orgulhoso e afortunado, pois uma pessoa tão maravilhosa quer fazer parte de sua vida.

Com o casamento, tudo pode mudar instantaneamente. Assim que a cerimônia acaba, e a certidão de casamento foi assinada, a "posse" está completa para o quarto filho, e ele pode parar de se esforçar pela aquisição. (É importante notar que, embora usemos "ele" aqui por conveniência, as quartas filhas também podem exibir o mesmo comportamento.) Ele não precisa mais ser um cara legal; pode deixar claro que ela lhe pertence. Muitas noivas que se casaram como esse tipo de quarto filho passaram a noite do casamento em lágrimas, porque o homem com quem elas pensavam estar se casando não era o mesmo com quem iam ficar. O cara mais legal do mundo havia se transformado em um monstro horrível, e às vezes até perigoso.

Esse é o tipo de quarto filho que se torna violento, especialmente quando o parceiro tenta sair da relação. O quarto filho, nessas ocasiões, diz algo como: "Se eu não posso ter você, ninguém terá". Eles preferem destruir seus parceiros que ver outra pessoa feliz com eles.

É interessante, mas viver junto sem se casar pode parar esse ciclo e evitar que o quarto filho veja seu parceiro como propriedade. Sem a certidão de casamento, não há "compra", "proprietário" ou "propriedade", e aí a relação pode prosseguir em pé de igualdade.

Exercício: Quando vemos um ao outro como indivíduos, reconhecemos que a outra pessoa tem direitos, exatamente como nós. E, quando reconhecemos os direitos de nossos parceiros, significa que nos responsabilizamos por nossos relacionamentos, em vez de os tomarmos por certos. Use as perguntas sobre direitos que vêm a seguir para se assegurar de que você e seu parceiro pensam um no outro como indivíduos.

- Seu parceiro tem o direito de deixar você?
- Seu parceiro tem o direito de fazer o que quiser?
- Seu parceiro tem o direito de ir aonde quiser?
- Seu parceiro tem o direito de fazer amizade com quem quiser?
- Seu parceiro tem o direito de acreditar no que quiser?
- Seu parceiro tem o direito de falar com você do jeito que quiser?
- Seu parceiro tem o direito de sentir qualquer coisa?

Quando cada parceiro tem os mesmos direitos e decide exercitá-los de formas que beneficiam e fortalecem o relacionamento, vocês estão se relacionando como indivíduos, e não como propriedades.

O quarto filho e o único

Quartos filhos e únicos podem ter muitos problemas juntos. Cada um pensa que entende o outro, mas na verdade nenhum deles tem a menor pista sobre o parceiro. Eles vivem em extremos diferentes do espectro, mas não percebem isso.

Essas duas ordens de nascimento podem ser aparentemente iguais em muitos aspectos. A tendência do quarto filho de se apagar em grupos grandes pode se parecer com a preferência do único por ficar sozinho. Mas o quarto filho se retrai porque se sente indesejado, e não porque queira ficar sozinho. O único quer ficar sozinho para não se sentir pressionado. A capacidade do quarto filho para manipular os sentimentos alheios pode parecer com as tentativas do único de *dar um jeito* nos sentimentos dos outros. Mas o quarto filho usa suas habilidades para afirmar o controle, para que os outros façam o que ele quer. O único dá um jeito nos sentimentos dos outros porque só pode se sentir bem se os outros também se sentirem bem.

Essa diferença fundamental pode tornar a vida miserável, especialmente para os únicos reunidos a quartos filhos raivosos. Pessoas dessa ordem de nascimento têm mais probabilidade de se tornarem abusivas em seus relacionamentos, e comportamentos comuns de únicos podem facilmente provocar a raiva do quarto filho. Por exemplo, únicos que querem ser organizados desejam saber onde estão seus parceiros e a que horas podem esperá-los em casa. Quartos filhos sentem que estão sendo tratados como crianças quando seus parceiros controlam suas idas e vindas, e muitas vezes respondem raivosamente a esse controle. Quando o quarto filho fica bravo, o único se sente mal e tenta *arranjar* as coisas com seu parceiro para que, conseqüentemente, ele, único, se sinta bem. Mas o quarto fica bravo com esses esforços porque, na sua visão de mundo, adultos só tentam acalmar crianças, nunca outros adultos.

Tomar decisões relativamente simples pode ser uma agonia para o casal quarto/único porque seus padrões de pensamento são completamente diferentes. O único, que se preocupa quando as coisas ficam por fazer, quer tomar decisões para não precisar mais pensar sobre um assunto em particular; ele não pode se organizar enquanto a decisão não for tomada. O quarto filho, que evita se sentir encurralado, quer tempo para analisar completamente cada ângulo; por isso, adia a decisão pelo maior tempo possível.

Michele e Alex passaram por esse ciclo com o tapete de sua casa. Alex queria um tapete novo; o velho estava na casa desde que eles tinham se casado. Mas, nos quatro anos em que estiveram juntos, Alex e Michele nunca se entenderam sobre o assunto. Alex, um único, perguntava a Michele de que tipo de tapete ela gostaria, e Michele, a quarta filha, ficava brava. Fossem quais fossem as palavras usadas por ele, a pergunta sempre a deixava furiosa. Finalmente, Alex decidiu ir com ela à loja para ver do que ela gostava, mas isso também não funcionou; na loja, Michele estava mal-humorada e não cooperou, recusando-se até a indicar suas preferências.

Michele não podia decidir que tipo de tapete novo ela queria porque se sentiria encurralada assim que fizesse sua escolha. Sua mente analítica não parava de perguntar: "E se mais tarde eu achar algo de que goste mais?" E, já que ela não conseguia escolher, Alex não podia ter certeza de que ela estava feliz; por outro lado, como único, era incapaz de simplesmente comprar o que achasse melhor.

E, mesmo se Alex tivesse escolhido um novo tapete, Michele provavelmente teria criticado sua decisão. Ao encontrar defeitos nele, ela conseguiria afirmar a própria maturidade e se sentir adulta. Alex a conhecia bem o suficiente para antecipar esse resultado, e não comprou um novo tapete. Preferia viver com o velho a agüentar as críticas de Michele.

Exercício: Ceder a um quarto filho pode deixá-lo bravo, pois ele se sentirá imaturo. Embora a maioria de nós tenha sido condicionada a evitar confrontos sempre que possível, aqueles que têm parceiros quartos filhos descobrirão que seus relacionamentos funcionam melhor quando eles os enfrentam. Podemos enfrentar os outros com firmeza e sem cair no confronto quando transformamos um conflito em desafio. Por exemplo, Alex teria tido mais sorte com a questão do tapete se ele tivesse dito a Michele: "Você pode me ajudar a escolher um tapete novo essa semana?" Já na loja, ele poderia desafiar Michele de novo, sem lhe dar a impressão de estar encurralada: "Você pode me ajudar a escolher três amostras para a gente pensar?" Então, com as amostras já em casa, ele poderia desafiá-la pela terceira vez, dizendo: "Você pode me ajudar a escolher o mais bonito?" Ao ser paciente, e fazer de cada passo um desafio, você ajuda seu parceiro quarto filho a tomar decisões sem pressioná-lo.

O quarto filho e o primogênito

Quartos filhos e primogênitos podem ter dificuldades em compreender um ao outro. Os quartos filhos querem saber o que os outros pensam e sentem para poder analisá-los. Mas os primogênitos não sabem o que pensam e sentem, então não podem ajudar os quartos filhos a decifrá-los. Na verdade, os quartos filhos podem interpretar a ambivalência do primogênito como uma forma de mantê-los a distância – em outras palavras, se sentirão indesejados pelo primogênito.

Da mesma forma, os primogênitos não entendem o pensamento dos quartos filhos ou suas idéias de justiça. Se um primogênito tenta obter o respeito ou aprovação (substitutos de amor, em sua mente) de um quarto filho, exercendo poder emocional sobre ele, o quarto filho pode cair no seu velho hábito de dar o troco, iniciando um ciclo de dor e retaliação para ambos os parceiros.

Quartos filhos e primogênitos podem se sentir atraídos um pelo outro, às vezes instantaneamente. Quartos filhos freqüentemente se sentem atraídos à primeira vista, a ponto de determinar que vão se casar com uma pessoa depois de vê-la pela primeira vez. Outras ordens de nascimento podem dissuadir-se, mas é característico do quarto filho progredir rapidamente para a intimidade emocional.

Carla e Herbert experimentaram essa atração mútua instantânea. Os dois tinham tido casamentos infelizes antes, mas se deram muito bem juntos. Desde o começo de seu relacionamento, decidiram que não fariam sexo antes de se casarem. A idéia foi de Carla; como quarta filha, ela queria evitar armadilhas, e sentia que o sexo poderia fazê-la sentir-se encurralada. Para Herbert, um primogênito, foi natural expressar seu amor por Carla concordando com ela, e sua concordância fez com que Carla se sentisse bem porque significava que ele levava a sério os sentimentos dela. Se Herbert tivesse tentado fazê-la mudar de idéia, ela sentiria que ele estava ignorando seus sentimentos e provavelmente teria saído da relação.

Como não se sente encurralada, e sabe que Herbert leva seus sentimentos a sério, Carla está livre para expressar sua afeição por ele. De sua parte, Herbert se sente revigorado pelo amor que recebe dela e se sente genuinamente amado porque ela toma a iniciativa em vez de esperar que ele decida o que fazer.

Exercício: Os quartos filhos querem saber o que as outras pessoas querem, mas os primogênitos em geral não têm contato com os próprios desejos. Quartos filhos podem superar a frustração natural nessa situação contando a seus parceiros o que querem. Por exemplo, em vez de perguntar a seu parceiro primogênito o que há para o jantar, conte a ele o que você quer para jantar. Em vez de perguntar a seu parceiro o que ele quer fazer no fim de semana, conte-lhe o que você gostaria de fazer. Você pode encorajá-lo a expressar a própria opinião dizendo: "Você pode não concordar com isso, mas eu gostaria de ir ao planetário no sábado". Desse jeito, você expressa seus desejos e ao mesmo tempo dá ao seu parceiro a chance de dizer o que pensa.

O quarto filho e o segundo filho

O quarto filho é um mistério para o segundo filho. Na superfície, as qualidades do quarto parecem familiares ao segundo, mas existe um elemento emocional que ele não entende naturalmente e que pode fazer o comportamento e a lógica do quarto filho um tanto esquisitos – se não completamente disparatados – para o segundo filho.

Os segundos filhos se vêem como pessoas autodisciplinadas. Os quartos filhos falam sempre de dar duro, o que soa como autodisciplina, mas só se obrigam a trabalhar duro depois de superar uma luta emocional interna. Eles preferem se esforçar muito a parecer preguiçosos. Já a autodisciplina do segundo filho aparece porque ele ignora seus sentimentos. O segundo filho não entende o componente emocional do pensamento do quarto filho.

Da mesma forma, o hábito de criticar tem diferentes significados para o quarto e para o segundo filhos. O quarto filho critica para se sentir mais adulto. Quando ele consegue apontar as dificuldades e falhas em sua vida ou na daqueles que o cercam, está mostrando que dá duro, e que portanto é de fato maduro. As críticas do segundo filho vêm do desejo de atingir a perfeição; o quarto não se importa com a perfeição. Na verdade, para alguns quartos, a perfeição pode ser indesejável, pois se as coisas estiverem perfeitas a vida será fácil, e isso não cabe em sua definição de adulto.

Essa diferença de motivações causou problemas para Tiago, um quarto filho, e sua mulher Márcia, uma segunda filha. Márcia não estava feliz na relação e queria que Tiago fizesse terapia. Ela não ia à terapia com ele; queria que fosse sozinho. Tiago dizia que sua mulher era muito depreciativa e sempre achava defeitos nele. Segundos filhos que não conseguem expressar seus sentimentos com franqueza comumente expressam a raiva em forma de críticas. Depois que Tiago compreendeu Márcia, procurou fazer com que ela o entendesse. Mas ela não reagiu do jeito que ele esperava. Em vez disso, ela se apropriava do que ele dizia e distorcia suas palavras para criticá-lo de novo.

As coisas começaram a melhorar quando Tiago deixou de lado a própria frustração e começou a pensar em maneiras de fazer com que Márcia se sentisse amada. Ele percebeu que estava sempre dizendo frases do tipo "Eu odeio..." sobre seu trabalho, comidas de que ele não gostava ou o desenho do papel de parede. Esse tipo de declaração pode criar uma atmosfera subliminar de hostilidade em nossos parceiros; mas quartos filhos como Tiago não querem que seus parceiros se sintam rejeitados ao fazer essas observações. Eles só estão tentando se sentir maduros. Em sua luta para ser adulto, Tiago tinha de tornar seu ambiente difícil; ao superar essas dificuldades, ele se sentiria maduro.

O efeito dessas declarações em Márcia era devastador. Os comentários de Tiago não incluíam sugestão de melhora, que Márcia teria considerado bem-vinda. Eram simplesmente reclamações. Sem idéia de como melhorar as coisas, Márcia se sentia inadequada e frustrada, e liberava seus sentimentos ruins descobrindo defeitos em Tiago. Conforme ele foi se esforçando para fazer mais declarações que começavam com "Eu gosto", em vez de "Eu odeio...", a capacidade do casal de apreciar um ao outro aumentou.

Exercício: Às vezes, os quartos filhos interpretam as críticas do segundo como uma tentativa de distribuir a culpa — o que cria uma fonte de raiva para os quartos. O quarto filho pode romper esse ciclo dizendo ao segundo filho: "Isto pode não ser perfeito, mas..." O segundo filho pode causar um curto-circuito na raiva do quarto dizendo: "É desse jeito que eu quero. Pode fazer isso para mim?" De novo, transformar algo em desafio permite que o quarto filho se sinta maduro; declarar claramente o que você quer e persistir nisso dá ao quarto filho um senso de segurança, porque ele não tem de analisar tudo de novo para saber o que você deseja.

O quarto filho e o terceiro filho

Esta pode ser uma relação complicada desde o começo. Os terceiros filhos destemidos podem tentar exercer poder emocional com freqüência grande demais para o conforto do quarto filho, enquanto a passividade do terceiro filho medroso pode fazer o quarto se sentir imaturo. A tendência do terceiro filho de salvar os outros pode também aumentar o medo do quarto filho de nunca crescer.

A manipulação do quarto filho deixará o terceiro filho se sentindo vulnerável, e é tão desconfortável para ele que com freqüência abandonará a relação. Os terceiros filhos também não reagem bem aos esforços do quarto para não se sentir encurralado. É que muitas vezes esses esforços se traduzem em um comportamento imprevisível, que não dá ao terceiro oportunidade de se sentir seguro.

George, um quarto filho, se sentia preso em seu casamento com Rachel, uma terceira filha. Ele passou anos imaginando como poderia sair do relacionamento. Por fim, Rachel aceitou o fato de que George não queria permanecer casado com ela e decidiu continuar sua vida e deixá-lo fazer o que quisesse. Assim que Rachel tomou essa decisão, George decidiu que não queria que o casamento terminasse. Como ela estava pronta para deixá-lo partir, George não se sentiu mais preso e quis ficar no relacionamento; ele não entendia por que Rachel queria sair dele. Mesmo depois que George procurou terapia e tentou convencer a esposa a voltar, ela recusou a reconciliação. Sua falta de lealdade tinha feito com que ela se sentisse vulnerável, e ela não estava disposta a arriscar-se de novo. Nem estava interessada em descobrir por que George agira daquela maneira. Ela, com certeza, nunca fizera nada para que ele se sentisse preso.

Exercício: Terceiros filhos tendem a se importar mais com os outros do que consigo mesmos. Quartos filhos podem dar a seus parceiros terceiros muitas oportunidades de cuidar deles. Se você é um quarto filho, ao expressar seus sentimentos permite que seu parceiro crie empatia com você e demonstre sua afeição ajudando. Frases simples e diretas são as melhores: "Estou nervoso com essa festa"; "Gostaria de comer fora hoje à noite"; "Me sinto cansado"; "Gostaria de viajar por alguns dias"; "Eu gostaria de ter um novo terno para o casamento".

À medida que você se exercita contando a seu parceiro terceiro filho como se sente, descobrirá que ele encontra novas formas de fazê-lo sentir-se amado, cuidado e querido.

O quarto filho e outros quartos filhos

Quartos filhos não costumam ficar juntos com muita freqüência. Eles têm medo de se sentirem presos, mas usam estratégias para prender os outros. Em um namoro, dois quartos filhos percebem as armadilhas que o outro tenta fazer e dançam um em torno do outro, e não um com o outro. Entretanto, quartos filhos podem ficar juntos em circunstâncias especiais, como quando trabalham lado a lado em atividades similares. Como quartos filhos costumam ser desconfiados, eles precisam de tempo para se habituar à idéia de ficar juntos antes de pensar em casamento.

Quando dois quartos filhos se unem, eles compreendem o senso de humor, a mente analítica e a necessidade de trabalho duro um do outro. Mas a comunicação pode ser complicada. Quartos filhos tendem a se retrair quando as coisas ficam difíceis. Por isso, dois quartos filhos que estejam tendo problemas podem não falar um com o outro por dias e até semanas. Nesse processo, os dois podem sentir que não são queridos.

Nicholas e Rebeca entraram nesse padrão. Sua relação não era turbulenta, mas eles não conseguiam deixar as linhas de comunicação abertas, e portanto não conseguiam resolver seus problemas juntos. Quando as coisas ficavam difíceis, eles paravam completamente de conversar, e, quando falavam um com o outro, os dois se encaravam defensivamente, com os braços cruzados contra o peito. Simplesmente não estavam abertos um ao outro. Cada um esperava que o outro tomasse uma decisão, mas nenhum dos dois o fazia por medo de se sentir encurralado. O relacionamento caiu em um impasse; incapazes de se comunicar, eles não conseguiam passar de um casamento tolerável para um bom.

Exercício: Comunicação não-verbal é importante em qualquer relacionamento, mas é especialmente importante entre quartos filhos, porque eles costumam analisar pistas não-verbais para descobrir o que o outro está pensando. Linguagem corporal defensiva – afastar-se da outra pessoa, cruzar os braços no peito, não olhar nos olhos – é um jeito de mostrar que você não está aberto à outra pessoa. Quando você e seu parceiro tiverem uma questão difícil para resolver, uma linguagem corporal mais aberta poderá ajudá-los a se comunicar. Comece com: "Podemos falar sobre isso?" Depois, assegure-se de que seus braços estão soltos ao lado do corpo e de que vocês se olham nos olhos. Se seu parceiro ainda estiver usando linguagem corporal defensiva, chame sua atenção dizendo: "Pode me ouvir por um momento?" Essa atitude favorece uma linguagem corporal mais aberta, o que vai melhorar sua comunicação verbal.

A comunicação – ou a falta dela – costuma ser um dos problemas mais comuns no casamento. No próximo capítulo, analisamos mais de perto os cinco estágios da comunicação e as diferentes formas como cada personalidade por ordem de nascimento aborda a comunicação.

Capítulo Oito

A ordem de nascimento e a comunicação

Existe uma piada bem ilustrativa sobre problemas de comunicação:

Um francês em visita à Bahia se aproxima de um menino que está descascando um coco e pergunta:

– *Comment s'appele?*

– E o menino responde:

– Não é pele, é casca!

– *Comment?*

– Com a mão, não! Com a faca!

– *Je ne compreends pas...*

– Ah, não quer comprar, não compra, ora!

O que temos aqui, como diriam os especialistas, é falha de comunicação.

A forma como nos comunicamos com outras pessoas é influenciada pelo que pensamos delas e pelo que pensamos de nós mesmos, e pode mudar em um piscar de olhos, conforme o que está se passando em nossa vida e dentro de nossa cabeça. Mas saber como cada personalidade por ordem de nascimento se comunica também pode ajudar; sem esse conhecimento, pode ser que nunca cheguemos a nos entender.

Existem cinco estágios da comunicação: cumprimento, bate-papo, atividade, humor, e intimidade. Nem todo relacionamento passa por todos esses estágios; alguns param no estágio do humor e outros nunca passam dos cumprimentos. Mas toda relação mais próxima, seja com os pais, os irmãos, o melhor amigo ou o parceiro, passa pelos cinco estágios, um após outro, e depois recomeça.

Os primeiros quatro estágios são necessários para chegar ao quinto, de intimidade. Sem o ritual de cumprimentos, não há uma conexão inicial. Sem o bate-papo, não se consegue avaliar a possibilidade de conexão com o outro. A atividade é fundamental para viver e trabalhar no dia-a-dia. O humor é necessário para fortalecer a conexão e progredir em direção à intimidade. Quando você entender esses estágios e a maneira como cada personalidade por ordem de nascimento os aborda, seu relacionamento irá melhorar porque haverá menos oportunidades para mal-entendidos e conflitos.

Bom-dia, Até logo

O cumprimento é um ritual do qual participamos muitas vezes todos os dias. Dizemos bom-dia a nossos familiares, a nossos colegas de trabalho. Dizemos oi para o entregador de pizza, para o caixa na mercearia, para nossos vizinhos e para o operador de telemarketing que interrompe nosso jantar. É um reconhecimento, mesmo que breve, da presença de outra pessoa em nossa vida. É por isso que quando andamos pela rua dizemos oi às pessoas pelas quais passamos.

Ou, pelo menos, dizem aqueles de nós que moram em comunidades menores. Não é tão comum em áreas metropolitanas, por uma série de razões, e pode causar um choque cultural em gente da cidade grande que testemunha esse ritual em locais distantes. Certa manhã, uma nova-iorquina parou seu carro em um estacionamento da Universidade de Iowa. Quando ela saía do carro, um jovem saiu do carro na vaga ao lado, acenou com a cabeça para ela e disse: "Bom-dia". Ela lhe lançou um olhar intrigado, não disse nada e foi rapidamente para sua reunião. Ali, obviamente perturbada, contou a um colega seu encontro e terminou a saga perguntando: "O que ele quis dizer com isso?"

O rapaz do estacionamento só estava sendo amigável. Estava reconhecendo a presença da moça com uma frase inócua e descompromissada – como fazemos quando estamos de bem com o mundo.

Quando não estamos de bem com o mundo, quando estamos perturbados, ocupados ou – especialmente – bravos, os cumprimentos são a primeira coisa que abandonamos. Omita o cumprimento e poderá sentir a tensão subindo no ar. Não dizer "olá" para o caixa na mercearia é uma pista de que não estamos com disposição para conversa fiada. Não dizer "bom-dia" ao nosso companheiro é sinal de que estamos aborrecidos com ele. E, acredite, o caixa e o parceiro sabem exatamente o que isso significa.

Cada personalidade por ordem de nascimento responde aos cumprimentos do seu jeito. Os únicos costumam ser entusiásticos em suas respostas. Já os primogênitos refletem a forma com que a outra pessoa os cumprimentou. Segundos filhos costumam ser polidos em seus cumprimentos; você dificilmente ouvirá deles respostas inapropriadas. Terceiros filhos põem um toque de humor em seus cumprimentos. Quartos filhos procuram ser breves; eles são os mais inclinados a omitir o cumprimento e já partir para a atividade, o humor ou até mesmo para intimidade, ignorando os passos preliminares.

Exercício: Durante uma semana, arranje tempo para cumprimentar todo mundo que você encontra ou com quem conversa – colegas, entregadores, a pessoa que atende um telefonema de negócios – com um sorriso e um "Olá, como vai?" Preste atenção às respostas que obtém. Talvez fique surpreso em perceber quantas vezes esse simples e amigável cumprimento leva a um bate-papo, e talvez até a novas amizades.

Lindo dia, não?

O bate-papo é a forma pela qual nos conectamos com outras pessoas. Ele nos dá uma chance de avaliar seus interesses, a maneira como ela se sente e o que é importante para ela. É aqui também que começamos a prestar atenção à comunicação não-verbal – gestos, expressões faciais, inflexões da voz e expressão do olhar – para aumentar nossa compreensão das palavras que a outra pessoa diz.

O clima é o tópico número um do bate-papo; você pode, por exemplo, descobrir se a outra pessoa prefere sol ou chuva, tempo quente ou frio, primavera ou outono. Acontecimentos recentes são o tópico número dois de bate-papo; discutindo assuntos do mundo da política, esportes, economia e até a seção de quadrinhos, aprendemos mais um sobre o outro, no que estamos interessados, com o que nos importamos e como nos sentimos.

O bate-papo nem sempre é trivial ou superficial. Conversamos sobre coisas que vimos no noticiário, sobre doenças na família, sobre os problemas da criação de filhos e do relacionamento com a família do cônjuge. Conversamos sobre nossos medos, esperanças, perdas e triunfos. É assim que aprendemos um sobre o outro. Conectamo-nos um ao outro não apenas por meio de nossas palavras, mas também pela expressão facial, olhar, gestos e tons de voz.

Quando fazemos essa conexão durante o bate-papo, seja qual for o assunto, normalmente depois se segue uma pausa ou um ritual de algum tipo. Por exemplo, se estivermos conversando com um colega no cafezinho, faremos a conexão pelo bate-papo e então diremos algo como: "Bom, de volta ao trabalho". Se saímos com alguém, vamos parar de conversar e olhar o cardápio. Essas coisas acontecem naturalmente, como se por algum sinal secreto, mas mutuamente entendido. Esse sinal secreto é a conexão. Uma vez conectados com outra pessoa, subconscientemente nos dizemos: "Bom, está na hora de passar para outra coisa".

Quando a conexão não é feita, ou quando uma das pessoas envolvidas não a percebe, a pausa que se segue ao bate-papo será forçada e incômoda. Você já encontrou alguém que não pára de bater papo? É aquele colega que o segue do cafezinho à sua mesa, ou o rapaz ou a moça que saiu com você e continua falando enquanto você está com o nariz enterrado no cardápio. Você já está pronto para fazer outra coisa, mas a outra pessoa não entendeu a mensagem. Existe uma grande probabilidade de que essa pessoa seja um único; pessoas dessa ordem de nascimento têm dificuldade em reconhecer quando estão conectadas com outra pessoa, e por isso o sinal secreto freqüentemente passa desapercebido por elas.

Os primogênitos tendem a assumir o papel de ouvintes no bate-papo e indicam sua concordância balançando a cabeça. Os segundos filhos podem oferecer correções ou críticas, porque tendem a procurar erros; se você diz, por exemplo, que a temperatura poderá atingir 21 graus centígrados, um segundo filho poderá responder: "Bem, o Canal Dois disse que só vai chegar a vinte". Os terceiros filhos ficarão no bate-papo apenas enquanto não ficarem impacientes; eles preferem o estágio da atividade. Os quartos filhos muitas vezes assumem um papel passivo no bate-papo porque estão ouvindo e observando quem fala para analisar seu comportamento e suas atitudes.

Exercício: Por uma semana, mude seus hábitos: ouça uma estação de rádio diferente no carro, leia outro jornal e veja um programa de tevê diferente. Se necessário, tome nota sobre as coisas novas que ouve, lê e vê, e fale sobre elas com seu parceiro. Um pequeno parágrafo em um jornal semanal pode levar a vários tipos de novas conversas – e a descobertas sobre você e seu parceiro.

Não fique aí parado – faça alguma coisa!

O estágio de atividade da comunicação é exatamente o que o nome indica. Acontece quando trabalhamos juntos, pensamos juntos ou nos divertimos juntos. A atividade pode ser qualquer uma: cuidar do jardim, jogar golfe, planejar o orçamento doméstico, escolher um filme na videolocadora. Até as atividades mais rotineiras nos oferecem oportunidades para nos relacionarmos se tirarmos partido delas.

A atividade é o centro do namoro. Sair para comer, assistir a um concerto, fazer um passeio a pé – tudo isso nos dá oportunidade para ver o outro sob uma nova luz, para que uma faça novas descobertas sobre o outro e fortalecer a conexão feita durante o bate-papo. Quando falamos sobre casais casados que "namoram" o que estamos dizendo é que eles fazem coisas juntos de forma que cada parceiro possa continuar a jornada de descoberta do outro.

Reflita sobre a atividade de escolher um novo tapete para sua sala. A oportunidade pode ser maravilhosa para você se relacionar com seu parceiro, ou pode ser mais um daqueles episódios de nem-ligo-para-mim-tanto-faz que o deixam maluco. Lembra-se de Alex, o único, e Michele, a quarta filha, do capítulo sete? A dificuldade deles em comprar um tapete devia-se às suas características de ordem de nascimento. Cid procurava pistas do que Michele poderia gostar, enquanto Michele se recusava sequer a expressar uma preferência por temer mais tarde achar algo de que gostasse mais. Um primogênito provavelmente esperaria que o parceiro tomasse uma decisão e então concordaria com ele, enquanto um terceiro filho diria: "Esse é seu departamento, então faça o que o deixar feliz". Os segundos filhos procurariam defeitos e poderiam adiar a tomada de decisão porque nada parece próximo à perfeição. Se você não entender que essas reações vêm da ordem de nascimento, será muito difícil superá-las, e poderá haver muita frustração desnecessária para você e seu parceiro.

Mas se você trouxer para casa as amostras do tapete e toda noite colocá-las perto dos móveis na sala e discutir se o tecido malva se choca com o sofá, ou que nem dá para dizer o quanto o bege é enjoativo, então você e seu parceiro estarão se relacionando. Provavelmente você notará a típica reação da ordem do nascimento do seu parceiro e talvez até a sua. Mas, agora que você sabe por que você e seu parceiro reagem assim, poderá olhar todo o problema da compra do tapete de um novo ângulo, e até descobrir algo novo.

Exercício: Descubra formas de transformar as tarefas domésticas do dia-a-dia em atividades que você e seu parceiro possam fazer juntos. Por exemplo, em vez de simplesmente estabelecer uma lista de compras, peça a seu parceiro para ajudar a planejar o cardápio do jantar da semana inteira. Quando for o momento de tirar a poeira da sala, experimente mudar os bibelôs ou retratos, e peça opiniões ao seu parceiro. Você pode encontrar alguma resistência, especialmente se ele já está acostumado a certa rotina; para encorajá-lo a participar, use estas frases:

- Se ele é um único: "Você pode me ajudar com isso hoje à noite?"
- Se ele é um primogênito: "Eu gostaria muito que você..."
- Se ele é um segundo filho: "Qual desses você acha melhor?"
- Se ele é um terceiro filho: "Você pode me ajudar com isso, por favor?"
- Se ele é um quarto filho: "Pode me ajudar a fazer isso?"

Só estava brincando!

Como dizia um observador astuto, o amor faz o mundo girar, mas o riso impede que fiquemos tontos.

O estágio de humor da comunicação brota naturalmente do estágio de atividade. Sempre que estamos envolvidos em uma atividade, seja no trabalho, seja em casa ou em uma saída, mais cedo ou mais tarde começaremos a fazer piadas. Observe duas ou mais pessoas jogando cartas ou um jogo de tabuleiro, por exemplo: se tudo estiver bem, haverá muitas risadas. Se não houver, algo está errado.

O humor é essencial para uma relação saudável. É por isso que as pessoas sempre se casam com alguém de mesmo nível de inteligência. Inteligência não é o mesmo que educação; um parceiro pode ter educação superior enquanto o outro apenas o colegial, mas isso não determina sua inteligência. Os pontos fortes intelectuais de cada parceiro podem ser diferentes. Um pode ter facilidade com livros e o outro, muito senso comum – o que significa simplesmente aplicar a nossa experiência a novas situações – mas o nível de inteligência é o mesmo. Tem de ser assim para que um aprecie o senso de humor do outro. Leva pouco tempo para que avaliemos a inteligência de uma pessoa, e o fazemos através do humor. Se, em um primeiro encontro duas pessoas não entendem o senso de humor uma da outra, existe uma boa chance de não haver um segundo encontro. Elas simplesmente não se sentirão atraídas uma pela outra.

O humor acrescenta profundidade a um relacionamento por nos dar a liberdade de brincar. Quando estamos brincando, nossos outros mecanismos de defesa estão inativos; se estamos relaxados o suficiente para fazer piadas, não estamos tensos o suficiente para estar sempre armados.

Um primogênito aprendeu a importância do humor na relação com sua mulher. Impelido por um auto-exame impiedoso do que ele considerava defeitos em seu próprio comportamento, tomou a firme resolução de se tornar o marido perfeito. Começou a fazer todas as coisas que imaginava que um marido perfeito faria: cumpriu suas obrigações, manteve suas promessas e dedicou tempo à família e à igreja. Em suma, tornou-se um modelo de virtude, cheio de intenções sérias.

Depois de três semanas dessa mudança, sua esposa revoltou-se: "Você tem de parar com isso", ela soluçava. "Não agüento mais!"

O que ela não agüentava mais era a completa falta de humor no casamento. O primogênito tinha esquecido de incluir o riso em sua fórmula para se tornar o marido perfeito, e a atitude sombria que tinha adotado deixara sua mulher desesperadamente infeliz. Eles tinham perdido a liberdade de brincar, que torna um relacionamento divertido.

É claro que o humor deve ser usado com delicadeza, pois pode facilmente magoar. De um lado, humor é fazer graça, apreciar um ao outro. De outro, a graça é levada a sério, e as pessoas ficam bravas. Muitos problemas de comunicação entre casais acontecem quando não se entende o senso de humor do parceiro.

Cada personalidade por ordem de nascimento tem sua forma favorita de humor. Os únicos usam sarcasmo, mudando o significado do que os outros dizem com jogos de palavras. Por exemplo, um único pode dizer. "Você quer me ajudar, eu sei. Desde que eu lhe dê dinheiro".

Um primogênito pode responder a isso dizendo: "Se eu quisesse dinheiro, com certeza não procurava você!" O humor do primogênito é agradavelmente embaraçoso – o tipo de piada que faz corar e que é seguido de um sorriso ou uma piscada, para mostrar que é brincadeira.

Segundos filhos gostam de amolar e caçoam de si mesmos tanto quanto de outras pessoas. Um segundo filho típico diria ao único: "Claro que quero seu dinheiro. Eu sempre quero dinheiro". Muitas vezes, o segundo filho precisa anunciar que está brincando, porque o humor é feito com a cara mais séria do mundo. No exemplo, se o único prestar muita atenção ao tom de voz sério do segundo e não notar o brilho em seus olhos será capaz de pôr a mão no bolso para pegar o dinheiro.

O humor do terceiro filho normalmente contém um elemento de comparação que pode ser tomado como uma forma de depreciar o outro. O terceiro filho diria ao único: "Dinheiro? Você é a única pessoa mais pobre do que eu que conheço!"

O humor do quarto filho dá um passo a frente, usando insultos para obter um sorriso. Um quarto filho pode dizer: "Bom, só consigo seu dinheiro quando você precisa de mim..."

O bom humor por ordem de nascimento deixa que cada personalidade reaja ao tipo particular de humor do outro com seu tipo. Por exemplo, um quarto filho cumprimentou a família da mulher, que o visitava, dizendo: "Então, vocês não puderam pagar um hotel de beira de estrada e vieram se encostar n'a gente?" Ao que o cunhado, um primogênito, respondeu: "Calma, seu asno velho. Vim aqui para ver minha irmã, não você". Os dois homens riram; sua amizade fora reafirmada.

Por causa do tom insultuoso de seu humor, os quartos filhos são os que mais correm o risco de pisar no calo dos outros. Eles também não costumam respeitar limites e freqüentemente pulam os primeiros estágios da comunicação, o que pode levar a mal-entendidos. Um quarto filho chegou perto de um sacerdote logo após um funeral e perguntou se ele ganhava muito dinheiro com funerais. Para a maioria das pessoas, isso pareceria no mínimo inapropriado, ou até ofensivo. Mas, se o sacerdote reconhecesse o humor da pergunta, poderia ter respondido no mesmo tom; se fosse um terceiro filho, por exemplo, responderia: "Não, não tenho ganhado muito dinheiro com funerais. Mal posso esperar o seu".

O humor pode ser a área mais difícil do relacionamento a ser trabalhada, porque o bom humor surge naturalmente. Quando é forçado – quando tentamos ser intencionalmente engraçados – em geral perde a graça. Mas o humor pode ficar melhor quando voltamos nossa atenção para seu aspecto de "brincadeira". Afinal de contas, é uma forma adulta de brincar. Felizmente, existem muitas formas de brincadeira para adultos: jogos de cartas, boliche, pescaria, ciclismo. Tudo depende de *hobbies* e interesses que você mesmo escolhe. Até trabalho pode contar como diversão se for algo que você goste de fazer com outras pessoas.

Como o trabalho pode virar diversão? A resposta é: quando mudamos nossa atitude. Atitude é tudo quando tentamos aperfeiçoar nosso humor. Ao dizermos que *temos de* fazer algo, esse algo se transforma em uma tarefa. Certamente, existem algumas coisas que não podem ser adiadas, nem que seja só para evitar as conseqüências resultantes de não terem sido feitas. Mas há muitas outras que queremos fazer porque nos sentiremos melhor depois. Dizemos que *temos de* arrumar a garagem, mas na verdade queremos arrumá-la para podermos encontrar as coisas com facilidade e estacionar o carro lá. Declaramos que *temos de* empilhar a lenha, mas queremos fazer isso para ter um agradável fogo na lareira no meio do inverno.

Pense na diferença da seguinte forma: quando *temos de* fazer algo, estamos sendo obrigados por forças externas. *Ter de* significa que a escolha não é nossa, e sim de outra pessoa, e que somos obrigados a fazer a tarefa. *Querer*, por outro lado, vem de dentro. Nossos desejos nos obrigam a fazer coisas; é nossa escolha pessoal, e ninguém está nos forçando a nada.

O humor é o lubrificante que reduz os atritos do casamento diminuindo as arestas que surgem na vida diária. Humor mal compreendido é provavelmente a maior causa de conflito conjugal, ferindo e causando ressentimentos quando as piadas são levadas a sério. Esse tipo de mal-entendido pode acontecer em qualquer combinação por ordem de nascimento, principalmente por causa da natureza diferente do humor de cada uma das ordens. A caçoada do segundo filho pode ser sentida como crítica de verdade. Os insultos do quarto filho muitas vezes são ditos de forma tão séria que o alvo dele não os reconhece como humor. Os primogênitos tendem a se sentir culpados depois de usar seu humor vexatório e podem pedir desculpas imediatamente, para se assegurar de que a outra pessoa não se ofendeu. Ao depreciar outras pessoas, o terceiro filho normalmente sorri, mas algumas vezes ele pode ser levado a mal. O sarcasmo do filho único não parece causar muito problema; embora ninguém entenda o único (com exceção de outro único), seu humor parece ser facilmente reconhecível para outras personalidades por ordem de nascimento.

Exercício: Avise seu parceiro cada vez que ele usar a expressão *tenho de* na conversa. Peça para ele fazer a mesma coisa com você. Quando um pegar o outro dizendo *tenho de*, deverá perguntar: "Tem mesmo, ou quer fazer isso?" Ao quebrar o hábito de usar essa expressão, você conseguirá apreciar mais e encontrar mais humor nas coisas que faz.

Dois corações batendo juntos

Você conhece o velho ditado: "Um amigo é alguém que sabe tudo sobre você – e mesmo assim o aprecia". Trata-se de intimidade – o quinto estágio da comunicação e, freqüentemente, o mais difícil de atingir. É quando as barreiras caem, os fingimentos acabam e aceitamos um ao outro como as pessoas incríveis que somos, com falhas e tudo. Não estamos falando sobre intimidade física. Estamos falando sobre aquele senso de proximidade que vem quando você se relaciona diretamente com outra pessoa; quando não está usando o bate-papo, a atividade ou o humor para se conectar. A comunicação íntima muitas vezes nem precisa de palavras. Basta ficar com a outra pessoa e sentir-se bem a seu lado.

Em momentos de intimidade, todas as personalidades por ordem de nascimento deixam de lado suas estratégias de enfrentamento. Os únicos não ficam mais fechados no próprio mundo. Os primogênitos podem ser eles mesmos sem precisar impressionar ninguém. Os segundos filhos entram em contato com seus sentimentos. Os terceiros filhos se sentem seguros. Os quartos filhos se sentem queridos.

A intimidade verdadeira é um manjar raro que deve ser saboreado. Pode ser rompida por forças externas – o toque do telefone, por exemplo – ou por nós mesmos. O humor acaba com um momento de intimidade porque as piadas restabelecem a distância. Se você fizer uma piada durante esses momentos, prepare-se para ouvir uma bronca bem familiar: "Tudo é piada para você? Não pode falar a sério por um minuto?"

A comunicação íntima significa que vemos a outra pessoa como um ser humano real com o qual nos relacionamos. Aí é que as coisas ficam difíceis para as personalidades por ordem de nascimento, pois faz parte de suas estratégias de enfrentamento ter um modo particular de despersonalizar os outros. Entretanto, para atingir a intimidade real é preciso deixar essas estratégias de lado.

Quando o único não está se relacionando com os outros como pessoas, ele os vê como coisas que precisam ser consertadas. Lembre-se, os únicos espantavam a solidão na infância criando amigos imaginários e eles persistem nesse hábito quando adultos. Quando não vêem outros como indivíduos, tendem a imaginar o que os outros estão sentindo e pensando, e se os outros não se ajustam a essa imagem, os únicos tentarão arranjá-los até que se ajustem.

Os primogênitos vêem outras pessoas como juízes que os condenam, e que, portanto, devem ser aplacados. Quando despersonalizam outras pessoas dessa forma, eles demoram para dar sua opinião ou tomar uma decisão até que achem que já sabem o que os outros querem. Ou, então, eles avançarão com tudo tentando impressionar os outros, para que possam ser julgados favoravelmente.

Segundos filhos despersonalizam os outros enxergando-os como projetos que precisam ser aperfeiçoados. Nessa disposição, os segundos filhos reagirão favoravelmente às pessoas, quando elas mostrarem que desejam se tornar melhores; os segundos são notavelmente tolerantes à incompetência dos outros desde que estes *estejam tentando melhorar*. Por outro lado, pessoas que são competentes, mas mostram pouco ou nenhum interesse em melhorar, aborrecem imensamente o segundo, que acabará descartando esses projetos.

Os terceiros filhos vêem os outros como vítimas que precisam ser salvas. Eles se relacionam melhor com as pessoas quando elas precisam de ajuda, e podem não saber se relacionar com alguém que não precise de nada. Para que os terceiros filhos tratem outros como indivíduos, eles precisam aprender a abandonar sua disposição de salvadores.

Para os quartos filhos que não estão se relacionando com pessoas como seres humanos reais, os outros são propriedades a controlar. Quando crianças, os quartos filhos tinham de dar duro para impedir que os irmãos mais velhos tomassem suas coisas. Já adultos, ainda trabalham duro para manter o controle sobre elas, comportamento muitas vezes transmitido às suas interações com outras pessoas.

Em uma relação saudável, a intimidade sobe e flui como a maré. Como o humor, não pode ser forçada; deve-se permitir que ela se desenvolva em um ritmo natural dentro do relacionamento. Mas você pode aumentar a intimidade com seu parceiro lembrando-se de se relacionar com ele como indivíduo e concentrando seus pensamentos, com regularidade, naquilo de que você gosta nele e no seu relacionamento.

Exercício: Aproveitar o silêncio pode aumentar a intimidade com seu parceiro. Pode também ser difícil: a maioria das pessoas acha o silêncio desconfortável e tentam preenchê-lo com palavras ou atividade. Para superar esse desconforto, experimente este exercício pelo menos uma vez por semana, em períodos curtos, nunca maiores que cinco minutos no começo. Se necessário, use um cronômetro que não faça barulho. Desligue a televisão, o aparelho de som e a campainha do telefone. Sente-se com seu parceiro em um lugar confortável – no sofá ou em cadeiras confortáveis, um de frente para o outro. Você não precisa olhar nos olhos dele, mas fique de mãos dadas; essa conexão física ajuda a concentrar-se. Durante um período de tempo combinado, pense no seu parceiro; no que você acha atraente nele; no que você sente ao ficar de mãos dadas com ele; no que sabe sobre seus sonhos e necessidades. Não fale durante esse tempo. Quando o tempo acabar, sorriam um para o outro e façam o que quer que surja naturalmente – limpar a cozinha ou pegar o jornal. Se você e seu parceiro quiserem discutir o que pensaram durante o exercício, tudo bem, mas não são obrigados a isso. O objetivo é simplesmente ajudar vocês a se sentirem bem um com o outro. Quanto mais freqüentemente fizerem esse exercício, mais natural ele se tornará. Com o tempo, você se descobrirá mais consciente de momentos íntimos não programados – andar de carro ou trocar um olhar durante uma festa – e poderá apreciar mais esses momentos.

O que você quer dizer com isso?

Todos nós sabemos, por dolorosa experiência própria, que existem momentos nos quais simplesmente não nos comunicamos bem com ninguém. Interpretamos errado o humor ou nosso próprio humor é mal interpretado. Tomamos a sério coisas quando não devemos ou vice-versa. Às vezes, lemos de forma errada ou simplesmente não percebemos sinais não-verbais que poderiam nos dizer mais sobre o que a outra pessoa realmente quer dizer; outras vezes são nossos sinais que passam despercebidos ou são lidos de forma errada. Às vezes, desejamos que outras pessoas pudessem ler nossas mentes. Assim não precisaríamos achar as palavras certas, na ordem certa e no tom certo de voz, para expressar o que queremos.

Tudo isso é normal, de tempos em tempos. Reconhecer esses momentos e aceitar o fato de que eles acontecem ocasionalmente com todo mundo exige alguma prática, assim como a comunicação real e efetiva exige prática. Nenhum problema de comunicação é permanente e nenhuma estratégia de comunicação funciona o tempo todo. Mas agora você tem ferramentas melhores para entender a si mesmo e a seu parceiro, e portanto aqueles momentos em que vocês simplesmente não podem entender um ao outro acontecerão cada vez menos freqüentemente.

Exercício: A comunicação pode ser um problema para todas as ordens de nascimento por causa do amplo leque de significados que podemos associar ao que os outros dizem. Podemos atribuir significados às palavras alheias que são muito diferentes da sua intenção e que podem levar a conflitos desnecessários. Este exercício foi feito para ajudar você e seu parceiro a discutir suas próprias interpretações de várias frases, de forma que vocês possam entender melhor o verdadeiro significado por trás das palavras um do outro. Você pode usar as afirmações a seguir ou quaisquer outras que escolher.

Expliquem um ao outro o que cada afirmação quer dizer para vocês. Não existem afirmações certas ou erradas, por isso tudo bem se interpretarem de forma diferente a mesma afirmação. Ouçam um ao outro e discutam as diferenças de significado que descobrirem. O objetivo deste exercício é promover um entendimento melhor, que pode levar a negociação, acomodação e menos mal-entendidos.

- Está na hora de resolver esse assunto.
- Não me sinto confortável fazendo isso.
- Tenho mesmo de fazer isso?
- Você poderia, por favor, comprar pão na volta para casa?
- Eu só quero um tempinho para relaxar quando chego em casa.
- Não sei o que fazer amanhã à noite.
- O que você acha de arranjar uma nova poltrona reclinável?
- Quais são os seus planos para o fim de semana?
- Vamos sair hoje à noite.
- Sinto-me culpado.
- Preciso que você tire aquela cadeira do lugar.
- Você deixou uma marca na mesa de café.
- Você fica melhor de azul-marinho.
- Você precisa pentear o cabelo.
- Tire os sapatos.
- Não se preocupe com isso.
- Tive uma idéia.
- Isso não me incomoda.
- Eu cuido disso.

- Eu gostaria que você fizesse uma coisa para mim.
- Você nunca me ouve.
- O que devo fazer?
- Você não sabe como eu trabalho duro.
- Nós não fomos convidados.
- Você sabe o que falei sobre isso.

Agora que você conhece os estágios da comunicação e entende um pouco como cada personalidade por ordem de nascimento os atravessa, deve ser mais fácil identificar os padrões de comunicação em seu relacionamento e tentar novas estratégias para manter as linhas desimpedidas e funcionando. Até mesmo durante os inevitáveis maus momentos que acontecem em todo casamento, você e seu parceiro podem se descobrir perguntando um ao outro: "O que você quer dizer?", em vez de tirar conclusões precipitadas!

Capítulo Nove

A ordem de nascimento e a resolução de conflitos

Não importa quão bem você e seu parceiro entendam a personalidade por ordem de nascimento um do outro; não importa quão compatíveis vocês sejam ou quão clara seja a sua comunicação – vocês terão algumas dificuldades em seu relacionamento. Pode haver dificuldades financeiras quando a economia estiver em baixa. Problemas de saúde podem significar um fardo enorme em um relacionamento, assim como a convivência com outros membros da família. Criar filhos implica passar por fases difíceis. Mudanças de carreira, volta à escola, uma morte na família – há tantos caminhos pelos quais o estresse, a ansiedade e a frustração podem entrar em nossa vida que às vezes é espantoso que não desabemos sob todo esse peso.

Não podemos ajudá-lo a evitar esses momentos difíceis, mas podemos lhe dar informações e algumas ferramentas para ajudá-lo a atravessar essas fases.

Pontos de passagem

A vida é cheia de marcos. Damos os primeiros passos. Saímos pela primeira vez com alguém. Atingimos a idade de dirigir, de votar, de beber. Concluímos os estudos escolares, começamos uma carreira, nos casamos, temos filhos e começamos a estabelecer os marcos deles.

Mas alguns desses marcos que passamos não são claramente definidos, embora sejam tão importantes – e tão duradouros em seus efeitos – como aqueles que são fáceis de ser vistos. Chamamos esses marcos menos óbvios de pontos de passagem. São momentos nos quais experimentamos uma mudança das correntes em nossa vida e no modo como vemos a vida. Às vezes essas mudanças são tão graduais que nem percebemos que a maré mudou. Outras vezes, há tanta coisa acontecendo ao mesmo tempo que simplesmente não notamos a mudança.

Um desses pontos de passagem ocorre por volta dos doze anos. É então que começamos a valorizar nossos amigos mais do que nossos pais, e começamos a preferir ficar com eles a com nossas famílias. Outro ponto ocorre lá pelos dezesseis anos, quando começamos a nos tornar psicologicamente independentes de nossos pais. É freqüentemente aí que nos rebelamos tanto em ações quanto em pensamentos; podemos namorar pessoas que nossos pais desaprovam, vestir roupas que eles odeiam e ouvir músicas que eles não suportam apenas para afirmar nossa individualidade.

Na idade adulta, existem dois pontos de passagem que podem ter profundo impacto nos relacionamentos. Um deles começa aos 26 anos e normalmente dura de um a dois anos. É então que a maioria de nós realmente *cresce* no sentido de que começamos a assumir responsabilidade por nossas vidas. Até esse ponto, a maioria das pessoas tende a se agarrar ao pensamento mágico, a um sentimento de que, de alguma forma, tudo vai dar certo e a vida será boa. Mas, conforme nos aproximamos de nosso vigésimo sexto aniversário, entendemos que precisamos fazer coisas por nós mesmos. Em vez de esperar que as coisas mudem, começamos a insistir para que mudem. E começamos a procurar formas de mudar a realidade. Aparentemente, muitos casamentos acabam quando os parceiros estão chegando aos trinta anos, e isso pode ser atribuído ao ponto de passagem dos 26 anos. Nesse ponto, a maioria das pessoas vai passar dois anos tentando fazer com que a relação funcione; se as mudanças necessárias não foram feitas por volta dos 28, elas decidem que o casamento não vai funcionar e que estão prontas para sair dele.

Outro ponto de passagem ocorre por volta dos 38 anos e é popularmente conhecido como crise da meia-idade. É, na verdade, um período de transição no qual os valores que guiam nossa vida mudam. Se dedicamos nossa vida adulta a sermos bem-sucedidos na carreira, podemos então começar a valorizar nossos relacionamentos mais do que a conta bancária. Se fomos despreocupados e livres dos vinte aos trinta e poucos, podemos começar a sentir que está na hora de nos estabelecer e encarar a vida com mais seriedade. É como se, aos 38 anos, a personalidade virasse pelo avesso. Aquilo que não tinha muita importância toma precedência, e as coisas que nos importavam tanto antigamente hoje não são mais cruciais.

A *crise* nesse ponto de passagem vem quando a transição é extrema. É nesses casos que encontramos homens abandonando a carreira – e às vezes a família – para se tornarem instrutores de mergulho nas Bermudas; ou mulheres vestindo minissaias de couro e ouvindo Rusted Root*. Do lado de fora, essas medidas drásticas parecem patéticas tentativas de fazer o relógio andar para trás. Mas, do lado de dentro, é outra mudança na maré.

* Banda americana de rock progressivo. (N.T.)

Essa mudança fica mais tranqüila no casamento se os parceiros têm idades próximas; se atravessam o mesmo ponto de passagem ao mesmo tempo, o relacionamento pode até melhorar. Tome-se o exemplo de um homem que não foi muito responsável, deixando sua mulher arcar com o ônus de seu comportamento. Nesses moldes, a relação se manteve estável durante anos. Quando eles chegam aos 38, ele se torna mais responsável, enquanto ela entra em uma fase mais relaxada. O relacionamento continua estável e até mais equilibrado do que antes.

Mas, se existe uma diferença grande de idade – digamos, cinco ou mais anos –, as transições desse ponto de passagem podem ser muito mais estressantes para ambos os parceiros. No exemplo acima, o homem aos 38 anos começa a se tornar responsável, mas sua mulher, de 33, ainda está na base do faça-você-mesma. Ela não entende seu marido "novo modelo" e pode até se sentir ressentida, porque não sabe o que fazer agora que ele está assumindo todas as responsabilidades. Para ele, isso não parece muito razoável. Ele está fazendo agora o que sempre deveria ter feito. Por que isso é um problema? Ela está a cinco anos da sua mudança da corrente; portanto, faltam cinco anos para que possa entender a mudança dele.

Para as cinco personalidades por ordem de nascimento, as mudanças aos 38 anos de idade podem ser ao mesmo tempo dramáticas e libertadoras. O filho único, em vez de se retirar para o próprio mundo, começa a aproveitar o mundo real. O primogênito pára de procurar respeito, aprovação e admiração para valorizar o amor. O segundo filho não ignora mais os sentimentos e presta atenção a eles – especialmente aos próprios. O terceiro filho deixa de procurar segurança e assume riscos na relação com os outros. O quarto filho deixa de guardar segredos e começa a se abrir.

Exercício: A comunicação é o ponto mais vulnerável durante as épocas de estresse, porque nossos sentimentos interferem na capacidade de escuta. Escutar é pensar sobre o que a outra pessoa está dizendo – não sobre o que você vai dizer em seguida.

Cada personalidade por ordem de nascimento tem seu estilo de escuta. Os únicos atribuem os significados que eles dão às palavras dos outros. Os primogênitos escutam bem aos outros, mas não são bons em escutar a si próprios. Os segundos filhos escutam enquanto procuram erros, principalmente durante as discussões. Os terceiros filhos interpretam a intenção atrás das palavras. Os quartos filhos ouvem os outros ou a si mesmos, mas não simultaneamente.

Quando sentir que seu parceiro está recaindo em seu estilo habitual, tente estas frases para trazê-lo de volta à verdadeira escuta.

- Se ele é um único: "Não foi isso que eu quis dizer. Preste atenção ao que estou dizendo".
- Se ele é um primogênito: "Você pode não concordar, mas..."
- Se ele é um segundo filho: "Isso pode não ser perfeito, mas..."
- Se ele é um terceiro filho: "Por favor, escute o que estou dizendo".
- Se ele é um quarto filho: "Pode ser difícil para você acreditar, mas..."

Quem procura acha

Todos nós ouvimos esta frase de nossos pais, nossos avós, talvez até de nossos irmãos e esposos. Talvez já a tenhamos usado até com nossos filhos. A idéia por trás dessa advertência é nos ensinar a ser responsáveis e a aceitar as conseqüências de nossos atos. Mas pode ter o desastroso efeito colateral de nos fazer sentir encurralados, mesmo quando não queremos. No extremo, *achar o que se procura* pode levar à fobia de compromisso.

A fobia de compromisso pode aparecer cedo em um casamento – nos primeiros anos, ou mesmo nos primeiros meses. A pessoa com esse tipo de fobia se sente encurralada e se vê compelida a ficar com um pé fora do relacionamento. Embora seja mais comum ocorrer com homens, mulheres também podem ser sofrer dessa fobia.

A manifestação mais comum da fobia é o sexo extraconjugal. Freqüentemente, são aventuras de uma noite, e não casos de maior duração. Muitas vezes ocorrem mesmo quando não há problema no relacionamento do casal. A estabilidade no casamento pode fazer com que a pessoa com fobia de compromisso se sinta ainda mais encurralada; não há uma *desculpa* para fugir do relacionamento.

Existem também manifestações não sexuais de fobia de compromisso. A pessoa que fica longe de casa todo fim de semana – caçando, pescando, assistindo eventos esportivos – pode sofrer dessa fobia. Ficar longe de casa nos fins de semana pode aliviar o sentimento de estar encurralado. Pessoas que colocam o relacionamento com os pais ou irmãos à frente da relação com os cônjuges podem fazê-lo por fobia de compromisso.

Este é, claro, o comportamento mais extremo. É normal que as pessoas queiram reservar algum tempo para ficar longe de seus cônjuges. Nossos relacionamentos, como nossos corpos, precisam de espaço para respirar; precisamos de tempo para ficar longe tanto quanto precisamos de tempo para ficar perto. Quando nos sentimos desconfortáveis até mesmo com a perspectiva de ficar perto, é por que temos problemas com o compromisso. É então que não queremos achar o que procuramos.

O lado bom disso tudo é que se aprendermos sobre a ordem de nascimento e seu efeito nos relacionamentos não precisaremos fugir do que procuramos e achamos. Se não gostarmos daquilo que encontrarmos, poderemos aperfeiçoá-lo.

Exercício: Todos nós precisamos nos afastar ocasionalmente. É por isso que temos pausas para o café, fins de semana e férias. Nas relações, nossos afastamentos tomam a forma de almoços com os amigos, *hobbies*, trabalho voluntário e assim por diante. Mas cada personalidade por ordem de nascimento experimenta um sentimento diferente no tempo que passa longe do parceiro.

Os únicos se deliciam com o tempo que passam sozinhos; eles podem inclusive acordar mais cedo que o resto da casa, ou continuar de pé depois que todo mundo já foi para a cama, de forma que possam ter uma hora ou duas para si mesmos todo dia. Se seu parceiro único está anormalmente mal-humorado ou tenso, talvez seja por falta de tempo sozinho. Quando isso acontecer, encoraje seu parceiro a passar algum tempo só; se for necessário mudar a agenda, mostre-lhe como ela funcionará depois de reorganizada.

Os primogênitos têm muito mais dificuldade em se afastar. Se seus cônjuges desejam passar tempo longe deles podem se sentir culpados, pensando que ofenderam seus parceiros. E, quando os primogênitos fazem algo sem seus parceiros, podem se sentir culpados por deixá-los de fora. Para encorajar seu parceiro primogênito a aproveitar o tempo longe de você, mostre que aprova essas atividades nas quais não está envolvido. Você pode dizer, por exemplo: "Quero que você vá almoçar com seus amigos". Essa instrução expressa permite que o primogênito sinta que está lhe agradando e não precisa se sentir culpado por não incluí-lo no programa.

Os segundos filhos que se sentem divididos entre passar tempo com seus esposos ou ficar longe muitas vezes se sentem inadequados, porque não satisfazem perfeitamente nenhuma das duas necessidades. Faça com que seu parceiro segundo filho entenda que a perfeição não é necessária dizendo: "Esta programação pode não ser perfeita, mas podemos trabalhar com ela". Com isso, o segundo filho sabe que um equilíbrio razoável entre o tempo com você e sem você não só é factível como aceitável.

Terceiros filhos não gostam de passar tempo longe de seus parceiros, porque sentem que os estão deixando na mão; se eles não estiverem lá para tomar conta das coisas, para salvar seus parceiros, os terceiros filhos se sentem fracos e, portanto, indignos de amor. Para se contrapor a esse sentimento, peça ao seu companheiro terceiro filho que passe um tempo com os amigos dedicando-se, por exemplo, a *hobbies*. Ao dizer, por exemplo: "Por favor, telefone para Jorge e veja quando vocês podem ir pescar", o terceiro sente que lhe agradará fazendo isso.

Quartos filhos tendem a sentir que não são queridos, portanto encorajar seu parceiro quarto filho a passar tempo longe de você pode ser uma armadilha. Se você usar qualquer uma das frases que sugerimos para as outras ordens de nascimento, ele provavelmente ficará desconfiado e pensará que você não o quer por perto. Enfrente essa suspeita natural dizendo: "Pode ser difícil de acreditar, mas eu realmente gostaria que você entrasse naquele curso de pintura do qual vem falando". Você também pode apresentar a situação como um desafio: "Vai ser difícil achar tempo para fazer aquele curso de pintura. Você acredita que consegue?" O desafio ajuda o quarto filho a se sentir maduro ao reconhecer o trabalho duro que ele precisará fazer.

Especial versus importante

O conflito pode surgir em nossos relacionamentos quando nos vemos como especiais em vez de importantes. Essa é uma diferença-chave, pois muda tanto nosso comportamento quanto nossas expectativas.

As pessoas que se vêem como especiais recebem mais do que dão. Elas amam a si mesmas mais do que aos outros; querem possuir seus parceiros, em vez de satisfazer as necessidades deles. As pessoas que se vêem como importantes, por outro lado, servem aos outros. Deixam de lado os próprios desejos e necessidades para satisfazer as necessidades alheias.

De tempos em tempos, um de nós se torna especial, e isso é saudável. Somos especiais em nossos aniversários, por exemplo. No Dia das Mães, a mãe é especial, e, no Dia dos Pais, o pai é especial. Quando recebemos um serviço de alguém, somos especiais, e a pessoa que provê o serviço é importante; quando estamos no hospital, somos especiais, e as enfermeiras, médicos e outros funcionários são importantes. Se o seu trabalho é no setor de serviços, você é importante e o cliente é especial. Em relações de trabalho, ambas as pessoas são importantes; o patrão pode ser importante ou especial, dependendo das circunstâncias.

Em relacionamentos pessoais saudáveis, os pais são importantes para os filhos, e os filhos são especiais para os pais. Em um casamento saudável, ambos os parceiros são importantes, e ocasionalmente cada um deles será especial. Os problemas brotam quando o relacionamento especial/importante é distorcido. Em relações abusivas, o abusador é sempre especial, explorando o abusado, querendo possuí-lo; enquanto o abusado é sempre importante, tentando satisfazer as necessidades do abusador enquanto ignora as suas.

Cada personalidade por ordem de nascimento tem seu jeito de ser especial ou importante, e esses padrões são aprendidos bem cedo na infância, dos pais e irmãos.

O único especial quer ordem. Ele não tolera que mexam em suas coisas ou deixem seus próprios objetos jogados; ele explode de raiva quando é interrompido. O único especial quer a proteção de seu mundo e não sabe lidar com a intrusão dos outros. Para as mulheres, a atitude *especial* pode ter origem na aprovação constante do pai quando ela era menina; ou no sentimento de ser superior à mãe. Para os homens, vem da constante aprovação da mãe e de se sentir superior ao pai.

O único importante quer que seu parceiro se sinta bem e assumirá a responsabilidade de que isso aconteça. O sucesso dos esforços do único importante depende das habilidades que ele desenvolveu.

O primogênito especial exige respeito em lugar de amor. Em casa, ele exerce dominação, ou seja, insistência em que todos lhe obedeçam e concordem com suas decisões. Desobediência e discordância significam desrespeito para o primogênito especial, e já que respeito é um substituto para o amor, ele não tolerará nada disso. Os primogênitos tendem a desenvolver essa atitude *especial* quando têm um irmão segundo filho do mesmo sexo.

O primogênito importante geralmente tem um irmão segundo filho do sexo oposto e aprendeu a ficar atento aos outros. O primogênito importante quer trabalhar com o companheiro para satisfazer suas necessidades. Em vez de exigir respeito, ele procura aprovação por meio da cooperação.

O segundo filho especial tem um irmão primogênito do mesmo sexo e aprendeu a competir com o mais velho. O segundo filho especial procura formas de tirar a autoridade dos outros, de superá-los, de encontrar defeitos neles.

O segundo filho importante resolve problemas e restabelece a paz. Com um irmão primogênito do sexo oposto, ele assume mais responsabilidade na família e em vez de competir procura fazer com que as coisas andem bem.

O terceiro filho se torna especial com um irmão segundo filho do sexo oposto, porque, nessa dinâmica, essa criança mais velha faz o terceiro filho se sentir especial. Na vida adulta, terceiros especiais exigem que seus parceiros os façam sentir-se seguros. Se o terceiro filho especial ficar com raiva, atacará o parceiro por qualquer sentimento de insegurança que experimenta.

O terceiro filho torna-se importante quando o irmão segundo filho é do mesmo sexo. O terceiro filho é levado a provar sua bravura, e isso se traduz em dedicação aos outros. Esses terceiros filhos são aqueles que salvam vítimas; eles oferecem um serviço, portanto são importantes, e não especiais.

O quarto filho especial foi assim tratado por irmãos mais velhos do sexo oposto. Ele precisa desesperadamente de atenção e a procura de forma agressiva. Às vezes, os quartos filhos especiais ficam bravos por serem deixados de fora, por não ganharem atenção, ou mesmo por não terem sido devidamente ouvidos ou observados.

O quarto filho importante tem um irmão terceiro filho do mesmo sexo e não foi tratado como especial por ele quando era criança. Esse quarto filho dá – e não exige – atenção, o que faz dele um amigo do peito para cônjuge e filhos, colegas e subordinados.

Uma relação especial/importante distorcida fomenta um contínuo descontentamento no parceiro especial e ressentimento e raiva, que não param de crescer, no parceiro importante. De forma semelhante à do triângulo dramático, discutido no capítulo dois, é impossível para duas pessoas se relacionarem em pé de igualdade quando um é sempre especial e o outro, sempre importante.

Exercício: O equilíbrio entre especial e importante é delicado, e é fácil cair na rotina de ser um ou outro todo o tempo ou na maior parte do tempo. Este exercício o ajudará a medir o equilíbrio especial/importante em seu relacionamento. Dobre uma folha de papel em dois, no sentido do comprimento. De um lado, escreva em cima: "Momentos em que dou aos outros". Do outro lado escreva: "Momentos em que tiro dos outros". Liste tudo que puder pensar embaixo de cada título. Por exemplo, se você cozinha em sua casa, coloque o item no título "Momentos em que dou..." Se é seu parceiro quem faz a comida, ponha em "Momentos em que tiro..." Quando tiver terminado suas listas, compare o número de itens em cada título. Se sua lista estiver relativamente equilibrada, provavelmente seu relacionamento tenha um saudável padrão de dar e receber. Se você tem muitos itens em "Momentos em que dou..." e poucos em "Momentos em que tiro..." provavelmente suas necessidades e desejos estão sendo empurrados de lado com demasiada freqüência. Se você tem muitos itens em "Momentos em que tiro..." e poucos em "Momentos em que dou...", talvez espere que os outros se responsabilizem pela satisfação de suas necessidades e desejos. Em qualquer dos casos, examine os itens em cada título e se pergunte se ficaria mais relaxado, satisfeito e afinado com seu parceiro se alguns desses itens fossem modificados ou inteiramente abandonados.

Vejo tudo vermelho

Todos nós ficamos bravos de vez em quando. Às vezes é só uma ligeira irritação, outras é um vulcão de fúria. Há momentos em que ficamos embaraçados por perder a paciência, e outros momentos quando sentimos que não tínhamos outra escolha. E às vezes viramos alvo da raiva de alguém sem ter a mínima idéia do motivo.

É bom lembrar que a raiva tem significados diferentes conforme a personalidade por ordem de nascimento.

- Quando um filho único expressa raiva, deseja que os outros saibam como ele se sente. Os únicos não usam a raiva para influenciar os outros; usam-na para desabafar.
- Os primogênitos expressam raiva para ganhar respeito ou concordância – muitas vezes, depois que todos os outros meios falharam.
- Os segundos filhos expressam raiva para esconder seus sentimentos feridos. Antes da explosão, eles tendem a fazer críticas; se não conseguem alívio para seus sentimentos reprimidos, então explodem.
- Os terceiros filhos expressam raiva para superar seus sentimentos de vulnerabilidade. Muitos deles têm dificuldade em defender sua posição sem ficarem bravos; portanto, a raiva freqüentemente significa que se sentem explorados.
- Os quartos filhos expressam raiva como forma de intimidação; é um modo de controlar os outros. Funciona porque muitos de nós, quando crianças, fomos condicionados a temer uma pessoa brava.

As personalidades por ordem de nascimento também respondem de forma diferente à confrontação. A maioria de nós não gosta de confronto – alguns menos que os outros – e foi treinada desde a infância a evitá-lo sempre que possível. Mas casais que se sentem livres para discordar um do outro têm mais probabilidade de ficar juntos, pois podem resolver pequenas diferenças em vez de varrê-las para debaixo do tapete. Um estudo descobriu que casais que sempre evitavam discutir tinham 35% a mais de probabilidade de se divorciarem. Então, para conservar a saúde do seu casamento, você não deve evitar sempre os confrontos; mas pode entender o que acontece nesse momento.

Confrontações ocorrem quando existem ao menos duas forças, idéias ou personalidades acentuadamente opostas. Nos casamentos e outras relações de compromisso, a dinâmica da confrontação – as ações e reações suas e de seu parceiro – dependem em grande parte da ordem do nascimento. Cada personalidade por ordem de nascimento enfrenta a oposição do seu jeito, e o efeito de cada um desses métodos varia de acordo com a ordem de nascimento do parceiro.

O filho único enfrenta o confronto expressando emoção. Em uma criança, essas explosões seriam chamadas de birra, e é isso mesmo que o filho único adulto faz. A menos que existam características de ordem de nascimento secundárias que permitam ao único o uso de poder, autoridade, persuasão ou força, ele tem apenas uma arma em seu arsenal psicológico: a expressão de seus sentimentos. Cada uma das personalidades por ordem de nascimento reagirá a esse tipo de confronto de uma ou duas formas:

- Outro filho único entenderá a explosão ou reagirá com a sua própria explosão emocional.
- Um primogênito se sentirá culpado ou ficará bravo e se sentirá compelido a usar o poder como resposta.
- Um segundo filho se sentirá inadequado ou reagirá com críticas furiosas.
- Um terceiro filho se sentirá impotente ou usará humor.
- Um quarto filho se sentirá responsável ou colocará a culpa no outro.

Em circunstâncias normais, os primogênitos tendem a ser passivos, conciliadores e cordatos. Mas, quando pressionados, freqüentemente reagem à oposição usando o poder. Podem falar mansinho, mas existe um inconfundível senso de poder por trás de sua resposta. Esta pode vir na forma de um ultimato, como: "Consiga um emprego ou caia fora" ou "Se você não melhorar suas notas, não vai mais dirigir o carro". Eis como as cinco personalidades por ordem de nascimento respondem a esse tipo de confrontação:

- Um filho único tentará atender o primogênito ou fugir da situação.
- Outro primogênito ficará pouco à vontade na relação com seu parceiro primogênito ou pode haver uma disputa de poder entre os dois.
- Um segundo filho desprezará o comportamento do primogênito como insignificante ou tentará intimidá-lo.
- Um terceiro filho tentará apaziguar o primogênito ou usar raiva para persuadi-lo.
- Um quarto filho cederá ao primogênito ou tentará fugir da situação.

Quando os segundos filhos atingem seus limites, freqüentemente enfrentam a oposição com intimidações. Normalmente não fazem ameaças físicas, mas usam outras táticas. Por exemplo, um consumidor segundo filho descontente com uma loja de departamentos pode ameaçar falar com o supervisor do funcionário que o atendeu mal. Uma assistente social pode ameaçar tirar a guarda dos filhos de um pai que não está cooperando. Eis o que os segundos filhos enfrentarão da parte das outras personalidades por ordem de nascimento:

- Um filho único tentará fazer o necessário para que o segundo se sinta melhor ou anunciará, furioso, que não vai agüentar mais esse tipo de coisa (sem necessariamente fazer algo além desse anúncio).
- Um primogênito ficará completamente derrotado e tentará satisfazer o segundo filho ou entrará em depressão.
- Outro segundo filho subestimará a tática de intimidação ou tentará responder na mesma moeda; nesse caso, ganha o melhor intimidador.
- Um terceiro filho rirá da intimidação ou se retrairá.
- Um quarto filho concordará com o segundo filho ou usará seu pensamento analítico para derrotá-lo.

Terceiros filhos enfrentam seus oponentes com persuasão. Esse é um dos motivos que fazem dos terceiros filhos tão bons vendedores. Eles conseguem superar objeções, e até mesmo um "não" direto, insistindo na persuasão. Sendo as outras personalidades por ordem de nascimento o que são, os terceiros filhos muitas vezes saem vencedores das confrontações.

- Um filho único concordará com o terceiro filho ou reagirá emocionalmente a seus argumentos.
- Um primogênito se sentirá compelido a aquiescer com o terceiro filho ou abandonará a discussão.
- Um segundo filho concordará com o terceiro, mesmo que relutantemente; ou reagirá com críticas raivosas.
- Outro terceiro filho entende de persuasão e pode usá-la também para reagir.
- Um quarto filho se sentirá vencido pela persuasão ou usará ardis para vencer o terceiro filho.

Os quartos filhos enfrentam a oposição com força – psicológica, física ou ambas. Quartos filhos que guardam muita raiva têm mais probabilidade de se tornarem fisicamente violentos. Força psicológica é algo com o que os quartos filhos aprenderam a lidar desde crianças, no convívio com os irmãos mais velhos. Em muitos casos, essa era a única forma de eles afirmarem sua presença. Eis como as outras personalidades por ordem de nascimento tipicamente respondem à confrontação com um quarto filho:

- Um filho único pode tentar fazer as coisas do jeito que o quarto quer ou avisar que se a força continuar a ser utilizada, ele terminará a relação.
- Um primogênito cederá ao quarto filho ou emitirá um ultimato.
- Um segundo filho se concentrará em fazer o que o quarto filho quer, ou tentará intimidá-lo.
- Um terceiro filho não deixará que o comportamento do quarto filho o incomode ou usará persuasão para tentar mudar o comportamento dele.
- Um outro quarto filho vai parar de conversar com o parceiro por dias ou semanas ou desistirá completamente da relação.

Alguns episódios de confronto são normais em qualquer relacionamento, especialmente numa relação de compromisso de longo prazo como o casamento. Em uma relação saudável, cada parceiro é livre para discordar do outro, e, se discordar é permitido, também é possível trabalhar junto para resolver o problema. As discordâncias até nos dão oportunidade para fortalecer nosso vínculo, porque nos permitem ver as coisas da perspectiva da outra pessoa e aprender mais sobre nossos parceiros.

Exercício: Embora as discordâncias possam ter diversas origens, cada personalidade por ordem de nascimento tem seu próprio gatilho para detonar a raiva. Saber quais são esses gatilhos ajudará você a evitar a raiva quando possível e a antecipá-la quando não for possível; saber confrontar a raiva ajudará a diluí-la.

- Únicos se enfurecem quando farejam intromissões – uma súbita mudança de planos ou um compromisso inesperado que o impede de fazer algo divertido, por exemplo. Confronte a raiva dele dizendo: "Pode ficar bravo se quiser, mas..."
- Primogênitos ficam bravos quando detectam falta de respeito nos outros. Confronte a raiva do primogênito começando suas frases com: "Eu quero que você..."
- Segundos filhos ficam bravos quando são criticados e respondem com as próprias críticas. Confronte a raiva dele dizendo: "Você tem mais alguma crítica?"
- Terceiros filhos ficam bravos quando são humilhados. Confronte a raiva dele começando as frases assim: "Estou desapontada com você porque..."
- Quartos filhos ficam bravos quando sentem que estão colocando a culpa neles. Confronte a raiva do quarto filho dizendo: "Pare! É o seguinte..."

Você aprendeu sobre ordem de nascimento, sobre comunicação e sobre conflito. Está na hora de juntar tudo para começar a melhorar seu relacionamento.

Capítulo Dez

Como a ordem de nascimento pode trabalhar a seu favor

Você leu o livro, fez os exercícios e falou sobre a ordem de nascimento com seu parceiro. Ganhou toda essa informação e *insight*; o que fazer com isso, agora?

Nossa esperança é que você aproveite tudo. O aspecto mais excitante sobre entender a ordem de nascimento é que ela dá uma nova perspectiva de nós mesmos e das pessoas em nossas vidas. Quando entendemos que nossos comportamentos estão baseados nas personalidades por ordem de nascimento e nas estratégias de enfrentamento que desenvolvemos quando crianças, podemos olhar para nós mesmos mais objetivamente. Estamos livres para entender como e por que somos o que somos, sem nos sentirmos envergonhados, culpados, inadequados, deprimidos ou bravos. Essa objetividade nos permite distinguir as coisas de que gostamos daquelas de que não gostamos muito. Então, podemos descobrir formas de adaptar o que não nos agrada e mudar nossa vida da maneira que desejarmos.

Olhar nossos parceiros pelo prisma da ordem de nascimento nos dá mais objetividade. Quando não conhecemos a ordem de nascimento eles podem parecer desarrazoados, propositalmente irritantes, resistentes a mudanças, desagradáveis e simplesmente incompreensíveis; e pode ser que eles pensem essas mesmas coisas de nós! O poder da ordem de nascimento é que ela nos permite interpretar comportamentos corretamente. Ela nos mostra que as correções do segundo filho são uma expressão de amor, e não de insatisfação; que os insultos do quarto filho na verdade são humor, não crítica séria; que a necessidade de tempo a sós do único não é sinal de que ele está infeliz no relacionamento; que os castelos no ar do primogênito fazem parte da sua busca por afeição; ou que a raiva do terceiro filho na verdade vem do sentimento de não ser digno de amor. Casais que entendem um ao outro através da ordem de nascimento conseguem se comunicar, expressar e receber amor, rir juntos, e aceitar as estratégias de enfrentamento um do outro em tempos difíceis.

É claro que a ordem de nascimento não é o único ingrediente de um relacionamento forte, estável e satisfatório. Casais felizes se relacionam um com o outro como indivíduos, não como coisas, juízes, projetos, vítimas ou propriedades. Casais felizes não são estorvados por ligações emocionais a relacionamentos anteriores; aprenderam a equilibrar seus papéis de importante e especial; e reconhecem momentos difíceis como questões temporárias, e não como entraves permanentes. Em suma, esses casais estabelecem vínculos e cuidam deles em seus relacionamentos.

Estabelecer vínculos apresenta desafios específicos para cada personalidade por ordem de nascimento. Os únicos são os que menos sentem essa necessidade; eles estão confortáveis e felizes em seu mundinho, onde sua imaginação os vincula a coisas e pessoas. Únicos também não se inclinam a fazer coisas que criam vínculos. Eles não gostam de planejar com muita antecedência porque não sabem se vão querer cumprir o plano quando chegar o momento. Gostam de passar tempo sozinhos, portanto deixam passar oportunidades para ficar com outras pessoas. E, como podem facilmente imaginar como seus parceiros pensam e se sentem (mesmo que imaginem errado), os únicos preferem acreditar que não precisam criar vínculos.

Os primogênitos enfrentam um desafio diferente para criar vínculos. Concentrados em impressionar outras pessoas ou conseguir sua aprovação – substitutos para o amor, no mundo do primogênito – eles não conseguem baixar a guarda o suficiente para estabelecer vínculos. Tendem a concordar com os desejos do parceiro para agradá-lo em vez de entrar em contato com o que querem; por isso, as oportunidades para criar uma verdadeira conexão ficam limitadas.

Para os segundos filhos, a dificuldade de criar vínculos vem do sentimento de inadequação e de sua preferência pela lógica em detrimento da emoção. Os segundos filhos podem hesitar em experimentar novidades, especialmente se não existirem instruções claras ou um passo-a-passo a seguir por considerarem que sua inexperiência atrapalha a possibilidade de atingir a perfeição. Eles podem criticar as sugestões de atividades que criam vínculos ou podem negar essa necessidade, porque formar vínculos necessariamente significa formar uma conexão emocional.

Criar vínculos também significa ficar vulnerável, e é aí que os terceiros filhos têm problemas. Embora sejam razoavelmente desinibidos para manifestar suas emoções, eles tendem a evitar situações em que outros possam usar essa conexão emocional para feri-los. Eles mantêm a maior parte das pessoas a distância, permitindo-se ficar próximos apenas de poucos e seletos indivíduos. Defesas do tipo "Isso nem me incomoda" levantam uma barreira natural à formação de vínculos até que eles se sintam seguros o suficiente para baixar a guarda.

Os quartos filhos tendem a desconfiar dos outros, o que também inibe a criação de vínculos. Podem recusar convites por não acreditarem que os outros realmente os queiram por perto; ou podem suspeitar da existência de um propósito oculto por trás do convite. Mesmo quando aceitam tais convites, os quartos filhos podem ficar quietos e retraídos durante a atividade ou o evento – outra manifestação da sua desconfiança e do seu sentimento de ser indesejado. Eles podem também fugir dos vínculos por temer se sentir encurralados.

No entanto, criar vínculo não é impossível nem necessariamente difícil para casais de qualquer ordem de nascimento. A maioria dos casais estabelece vínculos apesar dos desafios que nossa personalidade por ordem de nascimento apresenta. Mas muitos casais, particularmente aqueles que já estão juntos há muito tempo, imaginam que o vínculo que estabeleceram no início do relacionamento não precisa mais de atenção. Com muita freqüência, conexões que um dia foram fortes se enfraquecem gradualmente; e às vezes desaparecem.

Exercício: As questões a seguir ajudarão você a avaliar a força do vínculo em seu relacionamento. Algumas delas podem parecer óbvias, no entanto são importantes. Quando não nos fazemos essas perguntas fica muito fácil simplesmente ir levando sem saber se nosso relacionamento (ou nossa vida) é realmente o que desejamos. Você pode fazer algumas cópias deste exercício para uso no futuro, porque a formação de vínculos é um processo dinâmico e não custa nada checar seu progresso de vez em quando.

À medida que for respondendo as questões, considere-as cuidadosamente e seja tão honesto nas respostas quanto for possível. Lembre-se, esta é uma avaliação para ajudá-lo a determinar o nível de vínculo entre você e seu parceiro e identificar oportunidades para formar novos vínculos.

1. Seu parceiro o faz sentir-se bem?
2. Você presta atenção à comunicação não-verbal de seu parceiro?
3. Na maior parte do tempo, você entende a comunicação não-verbal de seu parceiro?
4. Você e seu parceiro ainda saem juntos? Vocês se dedicam a várias atividades nessas saídas, ou têm uma rotina (sempre jantar e ir ao cinema, por exemplo)?
5. Com que freqüência você tem um comportamento que atrapalha a formação de vínculos? Por exemplo, o uso de drogas ou álcool prejudica a capacidade de ler e interpretar a comunicação não-verbal; da mesma forma, se todas as saídas terminam em sexo, o aspecto físico do seu relacionamento está roubando energia do processo de criação de vínculos.
6. Se você e seu parceiro vivem juntos, cada um dispõe de tempo só, longe um do outro? Vocês passam tempo juntos longe de casa?
7. Existem sinais de perigo em seu relacionamento? Se existem, você poderia procurar terapia.
8. Mulheres: vocês tiveram um relacionamento ruim com sua mãe quando crianças? Homens, vocês tiveram um relacionamento ruim com seu pai? Aqueles que tiveram esses relacionamentos ruins tendem a recriá-los com seus parceiros.
9. Você ainda está sofrendo por conta de um relacionamento anterior? Essas emoções atrapalham a formação de vínculos com seu novo parceiro.
10. Quando você encontrou seu parceiro pela primeira vez, gostou dele ou não? Esse primeiro sentimento pode ressurgir em algum ponto do seu relacionamento.

11. Você está agüentando seu parceiro agora porque espera que ele mude mais tarde? Se for assim, as coisas só vão ficar piores, e não melhores, à medida que a relação evoluir.
12. Seus amigos se preocupam com seu relacionamento? Eles podem estar vendo algo que você não vê.

Sem papo, por favor

Criar vínculos traz a habilidade de *ler* a comunicação não-verbal um do outro – expressões faciais, linguagem do corpo, gestos, tom de voz, e assim por diante. Segundo um estudo, fazemos cerca de 93% de toda a nossa comunicação de acordo com esses meios não-verbais. Se você não consegue ler a comunicação não-verbal de seu parceiro, imagine quanta coisa está perdendo!

Aprendemos o que a comunicação não-verbal dos outros significa observando-os em várias situações e analisando essas situações posteriormente. Em relacionamentos românticos, o processo do namoro nos dá oportunidades maravilhosas para colher e analisar essas pistas não-verbais, porque estamos sempre vendo um ao outro em novas situações.

Pense em seus primeiros encontros com seu parceiro. Lembra-se de como você absorvia cada detalhe do tempo que passavam juntos? Você prestava atenção ao contato visual, à mudança de expressão no rosto dele, ao tom de voz, à escolha de palavras, ao fluxo da conversa e ao clima do silêncio entre vocês dois. Você observava como ele tratava o garçom no restaurante, como reagia ao comovente desfecho de um filme. Mais tarde, quando voltava para casa, repassava o encontro na cabeça, várias vezes, procurando pistas do que a outra pessoa queria dizer e por que ela reagia de determinada forma em algumas situações. Talvez você até conversasse com um amigo íntimo sobre o encontro, procurando uma perspectiva diferente e mais *insights* sobre as menores nuances.

Cada novo encontro aumenta o seu estoque de informações e percepções. Quando forem novamente a um restaurante, compare o jeito com que ele trata a garçonete ao jeito com que tratou o último garçom. Observe como ele reage à violência nesse filme e compare essa reação à que se seguiu à cena de amor no último filme. Se vocês fizerem algo diferente – digamos, uma viagem ao zoológico – o jeito com que ele reage aos leões pode lembrar-lhe de como ele segura a direção no carro. A expressão atenta no rosto dele ao observar os macacos pode ser a mesma que você viu quando ele experimentou escargot pela primeira vez. Observar essas dicas não-verbais em situações diferentes nos ajuda a avaliar o que acontece na cabeça da outra pessoa; quanto mais experiência temos com essa pessoa e com sua comunicação não-verbal, melhor nos tornamos na *leitura* dela. Trata-se de comunicação, em outro nível, além das palavras, como deve ser. Trata-se de criar vínculos.

Cada personalidade por ordem de nascimento tem suas técnicas favoritas de comunicação não-verbal:

- Os únicos fazem um rápido exame do ambiente, olhando brevemente tudo que os cerca; eles são abertos e expressivos em seus gestos. Quando olham para outra pessoa, freqüentemente imaginam o que ela está pensando ou sentindo. Os únicos gostam de olhar pessoas no shopping center, no aeroporto ou em outros lugares públicos, e inventar historinhas sobre os estranhos que vêem.
- Os primogênitos se concentram no rosto dos outros procurando pistas do que a outra pessoa pensa e sente. Eles costumam acenar com a cabeça várias vezes enquanto os outros

estão falando e usar pequenos estímulos verbais, como hum-hum, para encorajar o interlocutor.

- Os segundos filhos se concentram em um item por vez, observando e escutando em busca de falhas e pensando em como melhorar ou mudar as coisas. Quando estão dispostos a fazer críticas, inclinam-se para trás e cruzam os braços à sua frente.
- Os terceiros filhos examinam o ambiente como os únicos, só que mais devagar; eles têm mais tendência a voltar e olhar algo pela segunda vez para fazer comparações. Costumam se remexer quando ficam entediados; às vezes, se remexem antecipadamente quando esperam ficar chateados.
- Os quartos filhos fazem mais uso da visão periférica que qualquer outra das ordens de nascimento; eles lançam olhares de lado para ver o que acontece à sua volta de forma a não serem pegos desprevenidos.

Exercício: Você pode ter uma idéia de como outras personalidades por ordem de nascimento vêem o mundo imitando o movimento de seus olhos. Depois deste exercício, você terá uma idéia melhor do que os outros vêem quando notar esse tipo de movimento nos olhos deles. Você pode também ficar mais consciente do que costuma ver com seus olhos.

Para ver o que um único vê, examine rapidamente os arredores. Olhe para tudo à sua volta, mas não se demore em nada; só se assegure de incluir tudo. Se você está dentro de casa, olhe os móveis, a decoração, os suportes de luz, os eletrodomésticos, as janelas e o que você pode ver através delas. Se estiver fora, note qualquer pessoa que esteja nas proximidades, árvores e plantas, fios elétricos, áreas iluminadas pelo sol e sombrias.

Para ver o que um primogênito vê, estude o rosto das outras pessoas. Tente ler o que elas estão pensando, o que sentem e o que provavelmente farão. Note a inclinação da cabeça, a boca e as linhas na testa e em volta dos olhos. Quando a outra pessoa colocar a mão no rosto, preste atenção a esse movimento. Escute o tom de voz da pessoa e tente determinar o significado escondido por trás das palavras.

Para ver o que um segundo filho vê, concentre-se em uma só coisa. Estude-a em detalhe, procure suas falhas e pense sobre as mudanças que faria para melhorá-la. Concentre-se nesse objeto; não desvie a vista até que o tenha examinado detalhadamente.

Para ver o que um terceiro filho vê, examine as cercanias como o filho único faz, só que mais devagar. Compare as coisas que você vê: note em que elas são parecidas e em que são diferentes. Volte aos objetos ou pessoas para os quais já olhou, para compará-los com outros objetos ou pessoas. Veja se seus olhares de comparação trazem idéias novas.

Para ver o que o quarto filho vê sem virar a cabeça, olhe para cada lado tão longe quanto puder. Imagine que alguém está entrando de mansinho e você quer ter consciência disso sem deixar que essa pessoa saiba que você a vê. Depois que usar sua visão periférica, volte a olhar o que está na sua frente. Se você voltar a cabeça para olhar para alguma coisa, use sua visão periférica de novo.

Cultive seu vínculo

Muitos casais negligenciam seus vínculos depois que eles já estão forjados. Contamos com a primeira faísca para acender o fogo, e então imaginamos que aquelas primeiras chamas, tão promissoras, queimarão para sempre. Mas o fato é que toda relação duradoura, como todo bom fogo, precisa de muitos cuidados para sobreviver e florescer.

Quantas vezes ouvimos casais ou amigos de longa data dizer que *foram se afastando* com o tempo? Acontece. A distância nos separa de nossos amigos e familiares à medida que escolhemos uma educação e uma vocação diferentes. Não vemos essas pessoas todo dia, e, mesmo nesta era de *e-mail* e telefones celulares, não passamos tempo juntos e normalmente não nos comunicamos com elas com tanta freqüência como acontecia quando elas moravam na mesma rua ou na mesma cidade. Mais cedo ou mais tarde, descobrimos que não temos mais muito em comum com aqueles que já foram nossos amigos íntimos, e fazemos cada vez menos esforço para nos mantermos em contato. No final, nos limitamos a trocar cartões de Natal, e, depois de alguns anos, até isso pode acabar.

A mesma coisa acontece com relacionamentos românticos. Sem o vínculo inicial e a sua manutenção posterior, a conexão entre o par de almas gêmeas mais apegado acaba por murchar e morrer.

É por isso que casais casados e aqueles em relacionamentos permanentes e compromissados deveriam sair para namorar a vida toda. Não precisa ser nada requintado. Façam uma caminhada. Visitem um museu. Vão à igreja. Visitem amigos. Assistam a uma peça ou a um concerto. Façam compras só para se divertir ou viajem para algum lugar onde nenhum de vocês tenha estado. Façam o que quiserem, mas sempre longe de casa. Quanto mais variadas forem suas atividades, melhor, porque vocês ficam se conhecendo mais enquanto vêem um ao outro em novos cenários ou situações.

Resolver o que fazer nas saídas com seu parceiro pode ser um desafio, e até frustrante, porque as cinco personalidades por ordem de nascimento têm respostas muito diferentes para a questão "O que você quer fazer?" Os únicos gostam de ser organizados, mas não de planejar com muita antecedência. Primogênitos preferem concordar com tudo que o parceiro sugere. Segundos filhos levantam objeções em forma de críticas, seja o que for sugerido – aquele restaurante chique é muito caro, ou o cinema estará lotado. Terceiros filhos querem evitar se comprometer com algo que pode se revelar chato. Quartos filhos muitas vezes não estão convencidos de que seus parceiros querem fazer coisas com eles.

Vocês também devem reservar algum tempo na sua programação para ficarem afastados um do outro. Parte da formação de vínculo é pensar na outra pessoa quando ela está longe; usamos esse tempo para analisar e digerir as descobertas que fizemos um sobre o outro durante nossa última atividade juntos. Mas, para algumas personalidades por ordem de nascimento, essas separações necessárias podem ser difíceis de aceitar ou aproveitar. Os únicos são ótimos em tempo a sós, mas os terceiros filhos em geral não gostam de ficar sozinhos; eles temem ficar entediados – sendo que o tédio, para eles, é o mesmo que solidão. Quartos filhos muitas vezes não conseguem aproveitar tempo a sós, que pode fazê-los sentir-se indesejados. Segundos filhos podem sentir que seus parceiros querem ficar sozinhos porque eles não são bons o suficiente. Os primogênitos podem se sentir culpados, achando que fizeram algo que ofendeu seus parceiros.

Exercício: Uma das questões mais difíceis de serem respondidas por um casal é: "O que você quer fazer hoje à noite?" Este exercício serve a três propósitos: combate os obstáculos naturais que cada personalidade por ordem de nascimento levantará na hora de se decidir por uma atividade; favorece a variação nas atividades, o que dá a você e a seu parceiro mais oportunidades para descobrir um ao outro; e, finalmente, dá a cada parceiro permissão para sair e fazer coisas sozinho, o que também é um elemento-chave para a formação de vínculos. No final das instruções, encontra-se uma lista de exemplos para um casal fictício chamado Danilo e Karen.

Passo 1: Faça uma lista de todas as atividades em que puder pensar para um encontro. Faça-o com seu parceiro, ou os dois podem fazer listas separadas. Nenhuma atividade é proibida – tudo que você puder pensar vai na lista.

Passo 2: Depois de ter feito a lista, examine as atividades de novo, mas desta vez ponha a letra A, B ou C ao lado de cada uma delas. (Se você e seu parceiro fizeram listas separadas, marquem suas próprias listas e depois as troquem). "A" são as atividades que você gostaria de fazer. "B" são as atividades que você está disposta a fazer porque seu parceiro gosta delas. As atividades "C" são aquelas que seriam um suplício para você. Por exemplo, você pode realmente apreciar uma saída à noite para ouvir uma sinfonia, e colocar um A ao lado desse item, enquanto seu parceiro simplesmente não entende qual é a graça de se vestir a rigor para escutar música de trezentos anos atrás, e marcar esse item com um C bem convicto. Por outro lado, se seu parceiro adora pescar, e você não se importa de acompanhá-lo, desde que possa levar um bom livro, essa atividade, para você, seria classificada com um B.

Passo 3: Coloque todas as atividades A e B para você e seu parceiro em uma nova lista. Quando vocês planejarem uma saída, se revezem escolhendo uma atividade dessa lista. Há duas vantagens nisso: você não precisa espremer o cérebro decidindo o que fazer, e como já identificou as atividades para as quais está disposto, seja para sua própria diversão, seja para a do parceiro, não haverá mais discussões sobre o assunto. Risque cada atividade depois que a fizer; você evitará a repetição e a recaída na velha rotina de saídas anteriores.

Passo 4: Faça uma lista separada das atividades que você rotulou como C; depois faça a mesma coisa com as atividades que seu parceiro também rotulou assim. Essas são as coisas que vocês dois deveriam fazer sozinhos ou com amigos e membros da família que as apreciam. Lembre-se, uma parte importante da formação de vínculos é passar tempo longe de seu parceiro. A lista C dá a você e a ele permissão para fazer as coisas que cada um de vocês gosta sem se sentir culpado por não incluir o outro; ao mesmo tempo, nenhum parceiro precisa se culpar por não querer participar de determinadas atividades.

Passo 5: Atualize suas listas com freqüência – todo mês, por exemplo, ou sempre que pensar em algo que gostaria de fazer.

Lista de sugestões para Danilo e Karen

Coisas para fazer em saídas:

Fazer uma caminhada
Comprar um novo aparelho de som
Empinar um papagaio
Lavar o carro
Caçar
Ver uma peça
Ir a um concerto
Ir a uma quermesse
Montar a cavalo
Sair para tomar sorvete
Ver um filme

Jantar com amigos
Praticar *skydiving**
Fazer um piquenique
Ir à praia
Dar uma volta de carro, procurando oportunidades do tipo "Família vende tudo"
Jogar vôlei

As notas de Danilo:

Fazer uma caminhada – B
Comprar um novo aparelho de som – A
Empinar um papagaio – A
Lavar o carro – A
Caçar – A
Ver uma peça – B
Ir a um concerto – C
Ir a uma quermesse – C
Montar a cavalo – A
Sair para tomar sorvete – B
Ver um filme – A
Jantar com amigos – A
Praticar *skydiving* – C
Fazer um piquenique – B
Ir à praia – A
Dar uma volta de carro, procurando oportunidades do tipo "Família vende tudo" – C
Jogar vôlei – A

As notas de Karen:

Fazer uma caminhada – A
Comprar um novo aparelho de som – C

Empinar um papagaio – B
Lavar o carro – B
Caçar – C
Ver uma peça – A
Ir a um concerto – A
Ir a uma quermesse – C
Montar a cavalo – A
Sair para tomar sorvete – A
Ver um filme – B
Jantar com amigos – A
Praticar *skydiving* – A
Fazer um piquenique – A
Ir à praia – A
Dar uma volta de carro, procurando oportunidades do tipo "Família vende tudo" – A
Jogar vôlei – C

Programas para Danilo e Karen

Fazer uma caminhada (Danilo B, Karen A)
Empinar um papagaio (Danilo A, Karen B)
Lavar o carro (Danilo A, Karen B)
Ver uma peça (Danilo B, Karen A)
Montar a cavalo (Danilo A, Karen A)
Sair para tomar sorvete (Danilo B, Karen A)
Ver um filme (Danilo A, Karen B)
Jantar com amigos (Danilo A, Karen A)
Fazer um piquenique (Danilo B, Karen A)
Ir à praia (Danilo A, Karen A)

Programas que Danilo pode fazer sem Karen

Comprar um novo aparelho de som
Caçar
Jogar vôlei

Programas que Karen pode fazer sem Danilo

Ir a um concerto
Praticar *skydiving*
Dar uma volta de carro, procurando oportunidades do tipo "Família vende tudo"

Crie uma atmosfera carinhosa

A menos que você e seu parceiro estejam a maior parte do tempo saindo, juntos ou sozinhos, vocês passarão muito tempo em casa um com o outro. Para alguns de nós, *casa* tem uma conotação negativa; quando crianças, esse era o lugar onde tínhamos tarefas a fazer, onde éramos castigados, brigávamos com nossos irmãos ou presenciávamos as brigas de nossos pais. A parte divertida de nossa infância se passou longe de casa – no parque ou no playground, na casa de um amigo ou no shopping. Quando adultos, podemos levar as mesmas associações para nossos lares. Únicos podem sentir que um peso imenso desce sobre seus ombros quando cruzam a soleira, e que esse mesmo peso é retirado quando saem de casa. Primogênitos sentem que ali precisam andar pisando em ovos para não ofender seus parceiros. Segundos filhos podem ficar excepcionalmente sensíveis à raiva quando estão em casa. Terceiros filhos podem sentir que, em casa, devem carregar o fardo mais pesado. E os quartos filhos muitas vezes sentem que não se encaixam nem são queridos em casa.

As coisas que dizemos um ao outro – ou, mais precisamente, a forma com que dizemos essas coisas – podem exacerbar ou acalmar esses sentimentos negativos. Quando fazemos comentários negativos, os sentimentos negativos de nossos parceiros se tornam mais fortes e vice-versa. Quando nossos parceiros dizem coisas como: "Odeio aquela roseira feia em frente de casa", ou "Este sofá é a coisa mais desconfortável em que já sentei", sentimos como se nós tivéssemos causado essas reações, e não a roseira ou o sofá.

Com as palavras que dizemos e a forma com a qual as dizemos, criamos uma atmosfera para nós mesmos e para outras pessoas. Se você disser ao seu parceiro quando ele abrir o forno: "Adoro o cheiro de pão assando", ele sentirá uma atmosfera de amor. Mas se disser: "Cara, detesto o cheiro de biscoito queimado", seu parceiro sentirá uma atmosfera de raiva.

Parece simples demais para ser verdade, não é? Mas realmente funciona, e em qualquer escala. Quando Jimmy Carter disse, nos anos 1970, que os Estados Unidos estavam sofrendo de "um grande mal-estar" os americanos se sentiram deprimidos, individual e coletivamente. Mas, quando John F. Kennedy desafiou o país a pôr um homem na lua, os americanos se sentiram energizados e confiantes. Os discursos desses dois presidentes funcionaram como deixas subliminares para seus públicos, que agiram de acordo com elas.

O reverendo Phil Webb, pastor de uma igreja em Iowa, tinha o dom para criar uma atmosfera de amor e harmonia em sua congregação. Ele apresentava regularmente trechos do serviço com as palavras: "Adoro essa passagem", ou "Adoro essa canção". Esse reforço contínuo, ainda que em nível subconsciente, encorajava os membros da congregação a responder de forma amorosa. Não podemos sempre quantificar os resultados desse reforço, mas um episódio forneceu uma notável medida da atmosfera que o reverendo Webb criava: quando um dispendioso projeto de reforma da igreja foi colocado em votação, 93% da congregação o aprovou.

As cinco personalidades por ordem de nascimento têm suas formas específicas de fazer declarações positivas ou negativas. Os únicos são os que têm mais probabilidade de dizer que amam ou odeiam coisas, porque em seu mundinho imaginário até os objetos inanimados têm características humanas. Os únicos amam coisas e situações que os fazem sentir-se organizados. Odeiam coisas e situações que os fazem sentir-se desorganizados ou pressionados. Quando um único diz que odeia alguma coisa, está na realidade expressando frustração.

Os primogênitos têm menor probabilidade de dizer que amam ou odeiam algo; sua estratégia é evitar declarações que possam ofender os outros. Em vez disso, gentilmente concordam ou (com menor freqüência) discordam de tais afirmações, feitas pelos outros. Se um único pergunta a um primogênito: "Você não adora montanhas-russas?", o primogênito provavelmente responderá algo como: "Elas são legais... acho", o que pode ser tomado como concordância ou discordância, mas de qualquer forma não compromete o primogênito.

Em vez de usar *amor* e *ódio*, os segundos filhos preferem oferecer elogios moderados ou críticas. A resposta do segundo filho à pergunta do único sobre montanhas-russas pode ser algo como: "Eu gostaria bem mais delas se tivessem barras de segurança confortáveis". Mesmo quando dizem que *adoram* algo, os segundos filhos muitas vezes incluem alguma crítica na mesma frase.

Os terceiros filhos preferem usar *gosto* em vez de "amo" ou "adoro", o que pode ser um reflexo de suas tentativas de evitar o tédio. *Gostar* implica que algo é bom por enquanto, mas não contém o mesmo nível de comprometimento de "amar". Se um terceiro filho disser que *adora* montanhas-russas, os outros podem esperar que ele ande em uma delas sempre que a oportunidade surgir. Mas, se o terceiro filho admitir apenas que "gosta" de montanhas-russas, não se sentirá obrigado a andar nelas da próxima vez que for a um parque de diversões.

Os quartos filhos em geral fazem muitas declarações de que odeiam e poucas de que adoram, já que tentam mostrar maturidade contando como trabalham duro. Freqüentemente a atitude se traduz em um padrão de reclamações. Um quarto filho falando sobre montanhas-russas pode dizer: "A última vez que fui a uma delas, tive que ficar na fila durante uma hora, em um calor de 32 graus centígrados". Você terá de perguntar ao quarto filho se a espera valeu a pena, para descobrir o que ele acha de montanhas-russas.

Escolher suas palavras atentando para a diferença entre positivo e negativo é um jeito simples de influenciar a atmosfera de nossos lares, nossos locais de trabalho ou qualquer outro local. Pode fazer uma incrível diferença em como as pessoas ao seu lado se sentem, e, conseqüentemente, em como reagem a você. Mas é algo de que muitos de nós se esquecem no corre-corre da vida moderna.

Exercício: Fique alerta às oportunidades para fazer comentários positivos, mesmo quando as coisas não parecem tão boas. Se você teve um dia ruim no trabalho, por exemplo, cumprimente seu parceiro dizendo: "Puxa, como estou feliz de chegar em casa!", em vez de "Puxa, tive um dia horrível!" Você pode descrever seu dia ruim mais tarde, mas sua primeira afirmação deixa claro que seus sentimentos negativos não estão associados ao parceiro.

Quando seu parceiro fizer declarações negativas, tente estas respostas para entender melhor a verdadeira mensagem que ele está transmitindo:

- Caso seu parceiro seja um único, quando ele disser: "Eu odeio..." responda com "Você parece frustrado".
- Caso seu parceiro seja um primogênito, quando ele disser: "Acho que é legal " responda com "Você pode não concordar, mas...".
- Caso seu parceiro seja um segundo filho, quando ele disser alguma coisa como: "É legal, mas..." responda com "Pode não ser perfeito, mas...".
- Caso seu parceiro seja um terceiro filho, quando ele disser alguma coisa como: "Não gosto tanto assim" responda com "Tudo bem se você não gostar".
- Caso seu parceiro seja um quarto filho, quando ele reclamar, responda com "Você já pensou (ou trabalhou) bastante nisso, não é?"

Ajuste seu pensamento

As idéias aqui contidas podem ter desafiado sua forma de pensar. Na verdade, esse era um de nossos propósitos; portanto, será ótimo se tiver acontecido. Pensar significa, de fato, colocar ordem no caos. Assim que nascemos, estamos cercados pelo caos, e começamos a pensar para diferenciá-lo e organizá-lo, para colocá-lo em ordem. Como não podemos, evidentemente, colocar tudo em ordem, sempre sobra algum caos; portanto, continuamos pensando. Aceitar novas idéias exige de nós convidar o caos de volta ao nosso mundo já organizado, para que possamos, então, diferenciar e classificar essas novas idéias. Foi o que fizemos com o novo conceito da ordem de nascimento. O estudo da personalidade sempre foi caótico porque não havia ordem nele. Nosso sistema da ordem de nascimento traz organização a esse estudo.

É claro que sua reação à informação que apresentamos aqui pode ser influenciada pela ordem de nascimento. Se você for um único, pode estar inclinado a rejeitá-la porque aceitar novas idéias significa reorganizar sua visão de mundo. Se você for um primogênito, pode procurar por mais informação sobre a ordem de nascimento para alimentar seu intelecto pesquisador. Se for um segundo filho, pode começar a testar a ordem de nascimento entre seus parentes e amigos para procurar erros em nossas descrições. Um terceiro filho pode se descobrir comparando a informação aqui com outros trabalhos sobre relacionamentos ou ordem de nascimento. E, ser você for um quarto filho, pode se pegar usando essa informação para analisar as pessoas à sua volta.

De uma coisa temos certeza: se você utilizar a informação que lhe demos, descobrirá que agora dispõe de uma compreensão melhor de si mesmo e de seu parceiro. Pode até se descobrir olhando para seus amigos e colegas e tentando determinar sua ordem de nascimento. E, se o fizer, terá uma melhor compreensão deles, também.

Não fique surpreso ao se descobrir relendo uma seção em particular – ou duas ou três – deste livro. São muitas as informações a absorver, especialmente se você não estava familiarizado com nosso conceito de ordem de nascimento quando começou a ler. Pode levar algum tempo até que você possa assimilar a ligação entre ordem de nascimento e comportamento. Mas, como o objetivo do conceito é ajudá-lo para a vida inteira, refrescar a memória é sempre bom. Até os exercícios foram planejados para que você possa usá-los sempre que quiser.

Falando de exercícios, temos um último, para que você meça o que você e seu parceiro aprenderam sobre a personalidade por ordem de nascimento um do outro. Neste exercício, você vai descrever a personalidade do seu parceiro, e seu parceiro descreverá a sua. Quando as duas descrições tiverem sido feitas, um dirá ao outro o que achou de sua descrição. Dêem um retorno sincero um ao outro; este não é o momento de deixar que seu parceiro pense que entende você, se ele não entender de fato. E vice-versa.

Para explicar a personalidade um do outro, descreva as seguintes características:

- Como a personalidade por ordem de nascimento do seu parceiro se desenvolveu
- O padrão de pensamento de seu parceiro
- A forma de seu parceiro lidar com as emoções
- A forma de seu parceiro expressar amor, de acordo com a ordem de nascimento
- O padrão de comunicação de seu parceiro
- O que seu parceiro precisa que os outros lhe dêem
- O que faz seu parceiro se sentir bem
- Do que você gosta, nas características do seu parceiro

Não entre em pânico se você não acertar na mosca imediatamente. É preciso prática para pensar na ordem de nascimento e em seus efeitos dessa forma. Este exercício, como todos os outros que demos, foi feito para ajudá-los a aprender um sobre o outro, promovendo a compreensão mútua. Se você entendeu mal ou interpretou de modo errado coisas aqui e ali, isso só quer dizer que tem mais uma oportunidade para aprender. E esse é o ponto de partida para um relacionamento saudável e satisfatório.

Agradecimentos

Como acontece em qualquer trabalho, muitas pessoas participaram da criação deste livro. Primeiramente, manifestamos nossa gratidão a Alfred Adler, que iniciou a jornada para a compreensão das personalidades e comportamentos humanos através da ordem de nascimento; ao doutor Taibi Kahler, cujo trabalho com os miniscripts da vida ajudou a inspirar as descobertas de Cliff sobre personalidades por ordem de nascimento; e aos milhares de clientes cuja franqueza e abertura a respeito de si mesmos e de suas vidas continuam a nos esclarecer sobre as infinitas complexidades da ordem de nascimento.

Explorar a ordem de nascimento é um contínuo aprendizado, e nós somos gratos àqueles leitores, estudantes e pesquisadores cujas perguntas e histórias de vida nos forneceram *insights* adicionais ao assunto. Essas mentes curiosas ampliarão e refinarão o estudo da personalidade por ordem de nascimento; mal podemos esperar para aprender o que elas nos ensinarão.

Nossa agente, Barbara Doyen, é incansável em seu trabalho repleto de dedicação, habilidade e talento, além de possuir um entusiasmo contagiante. Obrigado por nos reunir, e lembre-se de que gostamos de você porque é você.

Paula Munier, nossa editora na Fair Winds, ganhou nosso respeito e confiança torcendo sinceramente por nós e oferecendo críticas construtivas. Nós lhe agradecemos por ter aceitado e aperfeiçoado um bom projeto, e também por seu encorajamento e apoio nesse processo.

Mais importante ainda: obrigado a nossas famílias por sua paciência e apoio. Agradecemos a Kathy Isaacson e Bud Schmunk, que nos perdoaram pelas longas horas que passávamos ao telefone ou ao computador, longe deles; a nossos filhos, Duane, Mary, Shirley, Linda, Kevin e Christopher, que nunca saberão o quanto nos ensinaram; a Clyde e Virginia, que se gabavam de sua nora antes mesmo que houvesse razão para isso; e a Dick e Jan, que acreditaram nas possibilidades de seguir o caminho mais difícil e menos óbvio. Nem queremos imaginar onde estaríamos sem vocês.

Veja outras publicações da Editora Gente

1. *Casais Inteligentes Enriquecem Juntos – Finanças para casais*
Gustavo Cerbasi
2. *As Coisas Boas da Vida*
Anderson Cavalcante
3. *Empregabilidade – Como ter trabalho e remuneração sempre*
José Augusto Minarelli
4. *Energize-se – Alternativas para melhorar sua qualidade de vida sem radicalismos*
Virginia Nowicki
5. *Mentes Inquietas – Entendendo melhor o mundo das pessoas distraídas, impulsivas e hiperativas*
Ana Beatriz B. Silva
6. *Metacompetência – Uma nova visão do trabalho e da realização pessoal*
Eugenio Mussak
7. *Metanóia – Uma história de tomada de decisão que fará você rever seus conceitos*
Roberto Adami Tranjan
8. *Ninguém Tropeça em Montanha – Cuide dos detalhes da vida*
Tadashi Kadomoto
9. *Organize-se – Soluções simples e fáceis para vencer o desafio diário da bagunça*
Donna Smallin
10. *Pedagogia do Amor – A contribuição das histórias universais para a formação de valores das novas gerações*
Gabriel Chalita
11. *Quem Ama, Educa!*
Içami Tiba
12. O *Sucesso É Ser Feliz*
Roberto Shinyashiki
13. *Virando Gente Grande – Como orientar os jovens em início de carreira*
Sofia Esteves do Amaral
14. *Você É do Tamanho de seus Sonhos – Estratégias para concretizar projetos pessoais, empresariais e comunitários*
César Souza
15. O *Vôo do Cisne – A revolução dos diferentes*
José Luiz Tejon Megido